밤의 끝에서

밤의 끝에서

발 행 | 2025년 3월 20일
저 자 | 임아린
펴낸이 | 한건희
펴낸곳 | 주식회사 부크크
출판사등록 | 2014.07.15(제2014-16호)
주 소 | 서울특별시 금천구 가산디지털1로 119 SK트윈타워 A동 305호
전 화 | 1670-8316
이메일 | info@bookk.co.kr

ISBN | 979-11-419-2609-0

www.bookk.co.kr

밤의 끝에서

임아린 장편소설

CONTENT

플롤로그

생일 D-1

달력에 적혀있는 이 표시.

8월9일 오후 6시.

조용한 나의 방. 물방울로 아니 어쩌면 눈물자국으로

가득한 나의 책상. 그리고……

의자에 앉은 채로 축 처져있는 나.

-뚝.... 뚝

창 밖에서 들리는 떨어지는 빗물소리 그리고 또 떨어지는 나의 눈물방울 소리...

그것이 모든 것에 시작 이였다.

이상한 세상 그리고 어느 여자와의 만남

“아 도대체 여기 어디야.”
어두운 세상 컴컴한 길을 혼자 헤매고 있는 나였다.

-부스럭

그때 어두운 길에서 들려오는 알 수 없는 부스럭 소리,
앞이 잘 보이지 않는 세상 이였기에 나는 겁에 질린 채로
가까이 다가갔다.
“어? 저게 뭐지?”
내가 본 건 흉측한 모습의 사람들이 검정색 나무에 몸을
휭휭 감싼 체 서서히 죽어가고 있는 모습 이였다.
“으악!”

너무 흉측한 모습에 놀란 나는 더 어두운 골목으로 뛰쳐 들어갔다. 두 눈을 질끈 감고 어디로 가는지도 모르는 상태에서 빠르게 뛰었다.
“헉헉 아니 저게 뭐야 아 놀래라. 근데 나 얼마나 뛴 거지?”
겁에 질린 모습으로 조심조심 다시 걸었다.
“어? 저건!”
잔뜩 겁에 질려 숨죽이고 있는 나의 앞에는 작은 집이 하나 보였다. 그 집도 안전해 보이진 않았지만 어쩔 수 없이 저절로 그 집 쪽으로 발이 움직였다. 손으로 살짝 문 고리를 돌리자.. 쾅 하며 문이 열렸다.
“실례합니다 누구 계세요?”
문 옆으로 고개를 돌리는 순간 한 젊은 여자가 무뚝뚝한 표정으로 서있었다.
“엄마야!”
갑작스러운 그녀의 등장에 놀란 나는 그대로 뒤로 넘어졌다.
“아 야야... 아 누구세요?”
“누구세요 라니! 넌 누군데 내 집에 들어오는 거야?”

여자도 놀란 듯 말했다. 어떻게 보면 남의 집에 처
들어온 거나 마찬가지 였으니까..
“아. 그러니까요. 그게...”
여자는 팔짱을 낀 채로 나를 위 아라로 쳐다 보았다.
“쯧쯧... 안타깝네. 너같이 어린것이 여기 왔으니.”
“아! 아줌마는 여기에 대해서 잘 아시는 거에요?”
내가 기대에 찬 눈빛으로 말하자 한심한 표정으로
여자가 말했다.
“그럼 넌 여기를 어딘지 모르고 온 거야?”
“아 제가 오고 싶어서 온 게 아니에요! 근데 여기 너무
이상해요 ! 사람들이…”
여자의 표정이 스르르 바뀌었다.
“한번만 말 할 태니까 잘 들어. 여기는 네가 생각하는
그런 곳이 아니야. 말 그대로 우울한 사람들이 오는
곳이야. 어쩌면 세상에서 가장 위험한 곳 일지도 몰라.
어떻게 이곳에 왔는지는 모르겠지만 너도 좀 있으면 저
사람들처럼 될 걸?”
여자의 손가락은 창 밖, 죽어가는 사람들을 향해있었다.
“네? 아하하... 거짓말 하지 마세요.”

"저걸 보고도 그렇게 생각해?"

여자는 다시 밖을 가리켰다. 나는 잠시 생각에 잠겼다. 내가 여기 있다는 건 내가 정말 우울증에 걸렸다는 거 아닐까. 왜 이제야 깨달았을까... 머릿속이 복잡 해 졌다 과거의 나와... 그리고 앞으로의 미래. 뒤섞인 감정들이 한번에 몰려왔다.

"사정이 긴 가보군?"

슬픈 표정으로 땅을 바라보고 있는 나를 보며 여자가 말했다.

"네? 아… 그냥."

나는 가벼운 웃음을 지었다.

"당신도 그럼.. 여기서 계속 지내왔던 거에요?"

여자는 말없이 고개를 끄덕였다.

"근데.. 당신은 왜 저렇게 죽지 않았어요?"

"......"

여자는 깊은 생각에 잠기고선 날카로운 말투로 말했다.

"나 이곳에 첫 번째로 빠진 사람이야. 네가 이곳에 대해 모르는 건 다 알고 있다고. 나에겐 기회가 주어졌을 뿐 이야…… 어쩌면 쓸 때 없는 기회…"

여자의 표정은 여전히 어두웠다. 나는 처음에는 그 말을 이해하지 못했다.

“저 나무들 전부 사람의 괴로움을 받아들이면서 자라더라. 일을 하면서 깨달았지.. 매일 세상이 시키는 데로 하면서 자라왔어.... 하고 싶지 않았는데도 말이야. 어쩌면 이 세상을 만든 건 우리일지도 몰라.”

여자의 말은 한숨을 나오게 했다. 이곳은 모든 것이 비현실 적으로 흘러갔다.

“아 그러고 보니 초등학생이지? 나도 너같이 초등학생 때 이곳에 왔는데. 시간이 벌써 이렇게 지났네.”

여자는 나를 가만히 바라보았다. 마치 나처럼 복잡한 감정을 느끼는 듯 했다.

“그럼 같이 나가요. 나가면 되잖아요.”

이때 내가 너무 순수했다. 6 학년인데도.

“뭐?”

여자는 어이가 없는 눈빛으로 고개를 들곤 나를 쳐다보며 말했다.

“너 여기를 빠져 나가는 게 쉽다고 생각해? 물론 빠져나가는 문이 있지만 문고리 잡고 돌린다고 문이 열리는 것도 아니야. 그리고 그곳으로 가는 게 얼마나 힘든 줄 아니? 만약 네가 말한 것처럼 그렇게 쉽게 나갈 수 있다면 내가 이곳에서 이십 년 이 넘게 살았겠냐고! 어차피 너 저 사람들처럼 저렇게 변하기까지 하루도 안 남았어! 알아듣겠어?"

여자의 말과 눈빛을 보니 정말 쉬운 일은 아닌 것 같았다. 쉬운 일이었다면 이렇게 심한 우울증에서 걸려 이곳에 오진 않았을 테니까……

"아... 아 알겠어요! 그냥 제 의견을 함 말해본 건데 왜 이렇게 화를 내요!"

여자의 눈치를 보게 되었다.

"근데... 저렇게 되고 나서는 어떻게 되는데요?"

여자는 당황한 눈빛 이었지만 대답했다.

"죽어."

"네?"

"죽는다고. 우울함에 못 이겨 결국 죽는 거야. 꼭 저렇게 죽는 건 아니고. 그냥 뭐 이곳 저곳 해매 다 죽는 사람들도 있고. 동물한테 잡아 먹혀서 죽는 사람들도 많지. 너도 곳 언젠간 그렇게 죽을 거고."

나는 무척 놀랄 수밖에 없었다. 이곳에 온 사람들이 정말 많았다는 건 여자의 말을 듣고도 알 수 이었다.

“너 어쩌다 이곳에 왔지?”

여자가 물었다.

“아 그게 제가 엄마랑 싸워서 방에서 울다가 잠들었는데 눈떴는데 이곳이네요?”

“그냥 잠든 게 아닐걸? 이건 꿈도 아니고.. 근데 엄마랑 싸워서 이곳에 왔다고?”

여자는 이상한 표정으로 말했다.

“아니죠~ 많이 힘들었는데.. 별로 얘기를 꺼내고 싶지는 않아요. 근데 잠든 게 아닌 거면… 기절 한 건가요?”

“너도 곳 알게 될 거야… 아무튼 알겠다. 우리가 별로 친하지는 않으니 더 말할 필요는 없고....”

아줌마는 태연하게 말했다.

“저... 여기서 좀 지내다 가도 될까요? 진짜 하루 뒤에 죽는다면 죽기 전에라도 편히 있고 싶어서요.”

죽는 게 두렵지 않아서 이런 말을 한 건 아니었다.

내가 언제 죽는지 알았기에 더 무서웠지만 그래도 받아 들여야 할 운명 이라고만 생각했다.

이제 끝나는 거라고… 이제야 쉬어도 된다고
생각하면서...
사방을 쳐다봐도 밝은 곳은 없었고 이곳은 정말 우울증에
빠졌구나 라는 것을 알 수 있을 정도로 비참하고 외로운
곳 이였다.
이곳에서 알 수 없는 시간 또한 빠르게 흘러갔다. 그리고
나는……

“어? 아줌마 이거 봐요! 하루가 넘게 지났을 텐데 저
죽지 않았어요!”
내가 정말 신나 하는 모습을 보이자 여자는 알 수 없는
표정을 지었다. 그리고 놀라움을 감추지 않으며 말을
이어갔다.
“아니 잠시만.. 이게 어떻게..”
“대박 이죠? 하루 안에 모두 죽는 게 맞아요? 난
멀쩡한데… 어떻게 된 거에요?”
“........”

여자는 아무 말도 하지 못했다. 내가 죽지 않고 살아
있자 그제서야 여자는 여기서 나갈 수 있는지에 대한
이야기에 관심을 가지기 시작 했다.
나는 그때 까지만 해도 이 세상이 얼마나 위험한 곳 인지
잘 몰랐다. 그러나 나갈 수 있는 문이 있고 그 곳으로
갈수 있다는 희망이 있다는 것 자체가 나에겐 너무 기쁜
일이었다.
“저기요 저한테도.. 아니지… 어쩌면 우리 둘한테 기회가
생긴 거면… 여기서 나갈 수 있다는 그런.. 말을 해도
되지 않을 까요?”
여자의 표정은 잠시 썩어 있었다. 머리를 긁으며 한숨을
쉬고 있는 여자의 모습은 정말 깊은 고민에 빠져 있다는
것을 알 수 있었다.
“여기서 나가는 건 네가 상상 하는 만큼 그렇게 쉽지
않아. 너무 위험한 일이라고. 가다가 죽을 수도 있어.”
“그래도.. 시도 라도 안 해보면 손해 인 것 같잖아요..”
“……”
여자는 한동안 말이 없었다. 그리고 날카로운 눈을
마주쳤다.

“네가 그렇게 자신 있다면 너 혼자 가면 되잖아. 같이 나간다는 게 말처럼 쉬울 것 같니?”

여자는 나를 강한 눈빛으로 바라보았다. 그리고는 다시 슬픈 눈빛을 지으며 나에게 말했다.

“난 여기서 나갈 수 없어. 미안...”

여자의 목소리는 오로지 절망에 섞여있는 목소리였다. 그런 알 수 없는 여자를 설득 하긴 쉽지는 않아 보였다.

“제 생각에는 아줌마는 용기가 없어요.”

“뭐?”

“맞잖아요. 한번도 탈출 시도를 해보지 않았다는 거 아니에요?”

“아니 그게 아니….”

“전 나갈 수 있어요.”

여자의 말을 끊고 자신 있게 말하는 나를 보며 그녀는 말을 이어가지 못했다. 솔직히 정말 나갈 수 있다는 확신은 없었다. 성공할 지에 대한 자신도 없었다. 다만 나에게는 나갈 수 있다는 용기가 있다고 알려주는 것뿐이였다.

“근데... 저 혼자서는 안돼요.”

"…… 뭐?"

"잘 생각해 봐요. 여기서 살아남은 사람은 우리 둘이잖아요. 둘이 힘을 합쳐야만 나갈 수 있어요. 저는 여기 지리도 잘 모르고… 그리고 아줌마도 계속 여기서 혼자 괴롭게 있다가 인생을 끝낼 생각이에요?"

여자는 무언가를 오랫동안 생각했다.

"너 정말 겁이 없구나. 죽는 게 무섭지 않아?"

솔직히 무서웠다. 하지만 오직 나갈 수 있을 거라는 생각에 무서움은 잠시 뒤로 접어두기로 했다.

그리고 그 여자에게 솔직히 말했다.

"옛날에는 무섭지 않다고 생각 했어요. 근데 지금은 무서워요 무서운데… 모르겠어요. 지금은 아예 생각이 다른데요 뭐… 다만. 지금은 나갈 수 있을 거라는 생각만 떠올라요. 앞으로도 그럴 거구요."

여자는 나를 가만히 쳐다보았다.

그리고는 무언 갈 오래 생각했다. 아주 오랜 시간 동안 나는 여자를 조용히 기다렸다 한참 후에 여자가 말을 꺼냈다.

“나도 여기서 바보처럼 그 놈이 시키는 일만 하면서 살순 없으니까.... 어린 너도 이렇게 말하는데. 내가 뭘 못 하겠니.”
여자는 지그시 웃으며 말했다.

탈출시도 1

나와 그녀는 그녀가 지내왔던 집 문을 열고 땅을 밟았다.
 조그만 집에서 밖으로 발을 디딘 순간 땅이 점점
흔들리기 시작 했다.
여자는"뛰어!"라고 소리쳤다. 여자의 말에 우리는 함께
달렸다. 내가 뒤를 돌아보는 순간 시커먼 나무들이 살아
움직이며 우리를 쫓아 오기 시작 했다.
"저게 뭐에요?"
"나무들이 우리가 도망 친 다는걸 눈치 챈 거야. 우리를
잡으려는 거지! 이제부터 여기 있는 생명체들이 우리를
막을 거야!"
"네? 아 잠시만요!"
우리는 한참을 뛰었다. 나는 바닥에 있는 커다란

돌멩이를 발견하곤 좇아 오는 나무의 나뭇가지를 향해
힘껏 던졌다
돌멩이 에 맞은 나뭇가지들이 부서지며 사방으로
튀어나갔다
그러자 우리를 쫓아오던 나무들이 모두 그곳으로
달려들기 시작했다 순간 커다란 바위가 눈 앞에 들어왔다.
"저 바위 뒤로 숨어요!"
우리는 바위 뒤로 재빨리 숨었다. 다행히 나무들은 다른
쪽으로 지나갔다 숨을 돌린 여자가 말했다.
"오~ 너 좀 똑똑하다."
"그런 말 처음 들어보네요. 가만 보니 나무들이 가까운
물건이나 소리에 반응 하는 것 같았어요. 그래서
돌멩이로 유인 해 봤는데 진짜 먹혔네요."
내가 바위 밖으로 얼굴을 조금 내 밀었을 땐 이미
나무들은 다른 곳으로 간 뒤였다.
우리는 잠시 한숨을 돌린 뒤 다시 길을 재촉했다.
얼마쯤 지나자 어둡고 캄캄한 숲길이 우리의 앞 길을
가로막고 있었고.
그 앞에는 별로 크지 않은 강이 흐르고 있었다.

"아줌마. 이제 어디로 가야 해요?"

여자가 잠시 살피더니 말했다.

"이제 저기 강을 건너야 하는데.."

"음... 깊어요?"

"깊지는 않아 그런데..."

"그럼 가죠!"

"아 잠깐만 기다려~!"

나는 급한 마음에 그녀의 말을 무시하고 강에 발을 내디뎠다 순간 나무보다 큰 악어 한 마리가 나의 발을 향에 입을 벌렸다.

"으아 악!"

그때 여자는 재빨리 나의 팔을 잡아 들어올렸다.

다행히 나의 발은 멀쩡했다.

"이것아. 내 말을 끝까지 들었어야지!"

"아 죄송해요! 제가 성격이 급해서. 아니 근데 악어가 뭔 이렇게 커요? 물이 검정색이라서 물 속에 뭐가 있는지 몰랐어요. 그리고 이 세상은 왜 다 검정색이에요?"

나는 흥분 한 듯 말했다.

“에휴.. 여기서 너처럼 급한 성격은 살아남기 힘들어 생각을 해야지 생각을”

“아줌만 이 강을 건너가 본적이 있어요?”

“있지.. 그 놈 심부름으로 건넌 거라 그땐 악어가 날 물지 않았어.. 그런데 지금은 우리를 죽이려고 하니..”

“그럼 이 강을 어떻게 건너가요.. 건너 가다간 죽을 텐데..”

여자와 난 고민에 빠졌다.

“혹시 뭐 먹을 거 없니?”

여자가 말했다.

“갑자기요? 설마 배고픈 거에요?”

“뭔 소리야 쓸 데가 있으니 있으면 어서 빨리 꺼내기나 해봐”

나는 바로 주머니를 뒤적거렸다 주머니 안에 먹다 남은 작은 과자와 젤리가 들어 있었다.

“저 과자랑 젤리밖에 없는데요?”

여자가 입 꼬리를 올리며 말했다.

"이걸로 유인하자. 자 일단 이 과자를 강 저 멀리 던진 다음 악어가 그걸 먹으러 가는 순간 재빨리 강을 건너가는 거야"

"오 과연 될까요..?"

"해봐야지"

혹시나 하는 마음으로 나는 강가 저~ 멀리 과자를 던졌다. 그러자 악어는 흥분 한 듯 과자가 있는 쪽으로 달려갔다.

"이때다!"

여자가 소리쳤다. 그리고 우리는 재빨리 강으로 뛰어 들어갔다.

악어는 내가 던진 과자와 젤리에 눈이 팔려 우리를 발견하지 못하고 멀어져 갔다

하지만 그것도 잠시… 강을 반쯤 건너가고 있는 순간 나와 악어가 눈이 마주쳤다.

순간 악어가 먹던 젤리와 과자를 내 팽 기치고 우리 쪽으로 다가왔다.

"으악 뛰어요!"

우리는 빠르게 뛰어갔다 하지만 악어는 순식간에 우리 쪽으로 다가와 아줌마 다리를 노리며 달려들었다

"아줌마~!"

나는 중간에 떠 있던 나뭇가지를 주워 악어의 눈을 향해 힘껏 내 던졌다

"캬악~"

악어의 비명 소리와 함께 악어가 물속으로 몸을 돌려 사라졌다

검은 물이 순식간에 붉은 피로 물들기 시작했다

우리는 죽을 힘을 다해 강을 빠져 나왔다. 나와 여자는 숨을 헐떡이며 터벅 터벅 걸어갔다.

"아슬아슬 했어요 그죠..?"

"그치… 저기 쉴만한 데 있네 저기 가서 쉬었다 가자 너무 힘들다."

여자와 나는 동그란 바위에 나란히 앉아 불을 피우고 한 숨을 돌렸다

긴 침묵이 흐른 뒤 어색함을 깨고 내가 먼저 말을 걸었다.

"아줌마는 왜 여기로 오게 됐어요?"

"어.. 그게 난 어릴 때 부모님한테 맞고 자라서 많이 힘들었어… 그때 생각하면… 처음엔 여기로 떨어진 게 너무 좋았지. 이젠 안 맞아도 된다 했지. 근데 시간이 지나고 보니까 너무 외롭더라고."

힘없는 표정을 지으며 여자는 말을 이었다.

"아 맞다 우리 서로 이름을 안 물어 봤구나 너 이름이 뭐니?"

"아 로사 에요 라틴어로 장미가 로사 인데 엄마가 장미처럼 예쁘게 살라고 주신 이름이에요 근데..."

"근데?"

나는 금방이라도 울음이 터져 나올듯한 표정으로 말했다.

"장미처럼 예쁘게 살지 못했어요..."

"아. 그래? 어째서?"

"........"

 말을 잊지 못하고 있는 나를 보며 여자가 먼저 말을 꺼냈다

"장미도 그렇게 예쁜 삶을 살고 있는 건 아닐걸?"

"네?"

“장미는 위에서 볼 때는 예쁘지만. 아래서 볼 때는 가시가 많잖아. 예쁜 꽃만 보고 만지다간 가시에 찔려서 당황 할 때가 상당히 많잖아? 아무리 예쁘고 완벽할 것 같은 사람이나 꽃도. 다 단점이나 부족한 점이 있는 법이지.”

여자는 나에게 뭔 갈 알려주고 싶은 듯 말했다.

“아줌마는 이름이 뭐에요..?”

“아… 나는 카밀라야.”

“오 이름 예쁘네요 외국에서 살다 온 거에요. 아님?”

“아니 아빠가 외국인이야.”

“오~저는 엄마 인데.”

“음.. 그렇구나.”

“뭐에요. 너무 단답형 아니에요?”

“아니 내가 좀 무 뚝뚝 해서 그래.”

그렇게 우리는 이야기를 이어가며 서로를 알아갔다.

누군가와 이렇게 둘이서만 대화를 하는 게 낯 설게 느껴졌지만 그래도 싫지만은 않았다.

이 곳에서의 밤은 현실 세상의 밤이 아닌 다른 것처럼 느껴졌다.

이 곳의 밤은 너무도 이상했다. 마치 시간이 멈춘 것처럼… 이 밤이 영원히 끝나지 않을 것처럼 보였다. 칠흑 같은 어둠은 점점 더 나를 우울함 속으로 끌고 들어갔다.

탈출시도 2

“어서 와 빨리~ 또 어떤 게 우릴 발견하기 전에 빨리 가야 한다고.”

카밀라는 어두컴컴한 산을 오르며 말했다.

“헉헉...아줌마는 힘들지도 않나 봐요..? 여기까지 오는데 삼 일이 걸렸는데...”

나는 숨을 헉헉대며 카밀라의 뒤를 쫓았다.

“너 여기서 빨리 나가고 싶지 않아? 이것도 네가 죽지 않아서 이게 가능 한 거지~ 진짜 나도 신기해 죽겠네...”

“아 알겠어요. 알겠어! 정상까지 간 다음에 또 내려가야 한다면서요. 빨리 가요!”

카밀라와 나는 컴컴한 산 정상으로 빠르게 자리를 옮겼다

"으아! 드디어 정상에 다 왔어요! 근데.. 여기 왜 이렇게 춥죠..?"
정상에 올라오자마자 몸이 오싹했다. 마치 누가 아래서 차가운 에어컨을 틀어 놓은 느낌 이였다.
"여기는 높은 곳이니까 당연히 춥지!"
"아니요 그게 아니라. 아래서 뭔 차가운 바람이 올라오는 것 같은데..?"
나는 산 아래를 내려다 보았다. 한발 더 내딛는 순간 나는 발을 헛디뎌 산 아래로 굴러 떨어지고 말았다.
"으아 악!"
몇 번을 굴러 산 아래로 떨어졌지만 다행이 경사가 심하지 않아 크게 다치지는 않았다. 다행이 정신을 차리고 바로 일어 날 수 있었다.
산 아래로 굴러 떨어지자 찬바람이 더 확실하게 느껴졌다.
"아 야야 아파라.... 어? 저게 뭐지?"
나는 찬바람이 부는 곳에 이상한 무언가를 발견하고 그쪽으로 다가갔다. 나를 찾기 위해 카밀라도 뒤따라 내려왔다.
"야! 아호 진짜 조심 좀..!"

“여기 봐요..”

내가 손가락으로 가리킨 그 곳엔 좁고 긴 동굴이 있었다

그곳에서 불어오는 바람은 마치 겨울에 부는 북극

바람처럼 엄청난 한기를 품고 있었다.

입구에는 작은 거울이 붙어 있었는데 그 거울엔 우리가

이곳을 탈출해 기뻐하는 모습과

잔인하고 슬프게 함께 죽어가고 있는 장면이 번갈아 가며

흘러나오고 있었다. 마치 환상을 보여주는 것처럼...

“이거 우리 아니야?”

카밀라가 놀란 표정으로 물었다.

“우리의 미래 같아요. 우리에게 환상을 보여주고 있어요.

어쩌면 우린… 이 둘 중에 하나처럼 될 지도 몰라요”

그때 거울에 검은색 화면으로 바뀌며 이상한 문양으로

번져갔다. 무엇을 암시 하는 건지…마치 무언가 우리에게

무엇을 암시하는 암호 같았다.

그것을 본 카밀라의 표정이 순간 굳어졌다

“어? 이건 뭐죠 갑자기... 아무것도 안 보이는데요”

“로사야 이건 신경 쓰지 않는 것이 좋겠구나 어서 가자”

“네? 어…그래도…”

카밀라는 나의 손을 잡고 빠르게 산을 벋어났다. 나는 그 동굴과 거울이 마음에 걸리는지 계속 힐끔거리며 뒤를 돌아 보았다.

그렇게 산 모퉁이를 돌고 돌아 정상을 넘어 얼마를 걸었을까.

드디어 평지가 눈앞에 펼쳐졌다.

"으아! 드디어 산 탈출!"

나는 기쁜 맘으로 소리를 질렀다. 하지만 카밀라는 기쁜 표정 보단 오히려 걱정스런 눈빛으로 눈 앞의 좁을 바라보며 말했다

"그렇게 좋냐?"

"네? 아…"

"이제부터 진짠데.

"에?"

우리는 두 사람이 겨우 걸어갈 만한 길을지나 어디론가 향했다. 얼마나 한참을 걸었을까.

나는 앞에 펼쳐진 광경에 경악을 금치 못했다

"으악! 이게 뭐야.. "

우리가 도착한 곳 앞에는 어마 무시 하게 긴.. 그리고
낡은 다리가 하나 펼쳐져 있었다. 개미가 올라가도
끊어질 정도로 약해 보이는 다리였다.
"설마... 여길 건너 가려는 건 아니…"
"가야 돼."
"네 에?"
나는 고개를 숙여 다리를 손으로 툭 건드렸다. 순간
다리가 수북이 쌓인 먼지를 흩날리며 좌 우로 심하게
흔들거렸다.
그 모습을 보며 카밀라가 말했다.
"내가 말했잖아. 탈출하는 길이 쉽지 않을 거라고!"
"아니 근데.. 저도 진짜 막상 이럴 줄은 몰랐죠!"
"빨리 와! 여기를 나가야 될 거 아냐!"
카밀라는 나의 옷을 잡았다 그리고 다리 쪽으로 다가갔다.
카밀라가 다리에 한발을 내딛는 순간 다리는 심하게
흔들렸다.
"아아!"
나는 겁을 먹어 벌벌 떨었지만 카밀라는 냉정한
표정이었다.

"아.. 좀 천천히 가요! 무섭지도 않아요?"

카밀라는 말없이 다리를 건너갔다.

"빨리 와 뭐 하는 거야 바보같이."

"아 조용히 좀 헤보세요! 아니 여기서 떨어지면 바로 하늘나라 가는 거 아니에요?"

"그렇게 무섭니? 나는 자주 왔었는데."

"여기를요? 아니 그래도 처음인 저를 위해 좀 같이 천천히 가 주시면 안될까요?"

나는 다리의 난간을 잡고 힘겹게 건너오며 말했다.

거의 마지막 다리를 건너는 순간 갑자기 다리가 심하게 흔들리며 천천히 부서지기 시작했다.

"어!? 뭐야? 으아 앗!!"

뒤 쪽에서부터 다리가 끊어지며 빠르게 다리가 무너지고 있었다.

나와 카밀라는 전력을 다해 뛰었다.

다리가 심하게 흔들리며 자세를 잡기 힘들어졌다

카밀라가 비틀거리며 허우적대는 나의 손을 잡아주었다.

그리곤 있는 힘을 다해 전력으로 뛰기 시작했다.

아슬아슬하게 다리가 무너짐과 동시에 우리는 다리를 건넜고 다리는 절벽으로 떨어져 더 이상 형체를 알아보기 힘들어 졌다 .

-쿵 소리와 함께 뿌연 먼지가 절벽에서 올라왔다

"후... 와 진짜 죽는 줄 알았네..."

카밀라는 다리가 부서지는 광경을 가만히 바라보았다.

"왜 그래요?"

"응? 아. 아니야."

카밀라는 마치 과거를 상상하듯 한동안 다리가 무너진 절벽을 바라보았다. 그리고 한숨을 쉬며 말했다"

"이제 다신 돌아 갈 수 없게 되어 버렸네…"

"어차피 나갈 건 데 뭘 걱정해요. 빨리요. 어서와요!"

나는 활짝 웃으며 말했다 카밀라는 나를 어이없게 쳐다봤다. 그리곤 피식 웃었다.

우리는 다시 어두운 길을 함께 걸었다.

얼마를 걸어갔을까 눈 앞에 형체를 알 수 없는 이상한 것들이 잔뜩 놓여 있었다.

"헐..."

"응..? 뭐야 또."

나는 순간 내 눈을 의심했다.

내가 본 건. 비참한 모습으로 나무에 묶여 살려달라는 눈빛으로 처다 보고 있는 어린 초등학생 이였다.

"………"

나는 입을 막으며 그 아이 에게 다가갔다.

"저… 저..좀.. 꺼내..주"

뭐라고 하는지는 정확히는 알 수 없었지만 살려달라는 것은 분명히 알 수 있었다.

"이렇게 어린애가 왜 여기에…"

불쌍한 표정으로 나무에 묶여있는 어린 아이에게 손을 뻗자 카밀라는 나의 손목을 잡았다.

"어차피 못 구해."

"네?"

"너 지금 이 아이 꺼내주겠다고 손을 내 미는 거야?"

"아니 그럼 이런 불쌍한 아이를 그냥 놔두고 가요?"

나는 카밀라의 행동을 이해할 수 없다는 표정을 지으며 말했다. 초등학교 3, 4 학년쯤 되어 보이는 아이였기에 나는 불쌍한 마음을 놓을 수 없었다.

"너 아직 여기가 어딘지 정확이 모르는구나? 여기에 온 사람들은 자기 스스로 죽음을 선택 한 거나 마찬가지야. 알아? 어차피 하루가 지나면 다 죽을 사람들이야. 여기서 나갈 수 있는 사람은 지금은 너 밖에 없어 몰라?"
나는 순간 뜸금 했다
"뭘 나 밖에 없어요~ 아줌마랑 나 포함해서 2 명 이지."
"......"
하지만 카밀라는 아무 말도 하지 않았다. 그저 나를 한심하게 쳐다볼 뿐 이였다.
"자. 정 못 보겠으면 눈 가리고 어서 가자."
"네 에..."
나는 두 손으로 두 눈을 가리고 그곳을 벋어났다.
사방을 둘러봐도 어두컴컴하고 비참한 세상에서 우리 둘만 버려진 느낌 이였다.
그렇게 몇 시 인지 몇 일인지. 아침인지 밤 인지도 모르는 세상에서 하루하루가 힘들게 흘러갔다.

그들의 이야기

나는 카밀라다. 이곳에 처음 떨어진 건 20년 전쯤…
처음 이곳에 떨어졌을 때 펼쳐진 광경은 살아 움직이는
생물들이나 사람들 살아 숨 쉬는 풀과 나무들까지 모두
비참한 모습이었다. 아침은 당연히 없었다.
이곳은 우울증에 걸린 사람들이 오는 곳으로 이곳에서
고독하고 괴로운 우울함을 겪다가 그 우울함을 못 이겨
하루 만에 다들 죽곤 했다.
처음엔 어떻게든 살려보려고 노력했다.
하지만 그 누구도 내 힘으로 살릴 수 없다는 걸 알고 난
뒤부터 사람을 살리는 일은 그만 두었다.
나는 로사와 같은 어린 나이에 이곳에 첫 번째로 떨어져
외로운 삶을 살아왔다.

실제 세상에서도 정말 외롭게 지냈었는데 이 세상에 와서
사람들이 죽어가는 우울한 이 세상을 내가 가꾸어 가니
더 외롭고 내가 너무 나쁘게 느껴졌다.
실제 세상에선 부모님에게 똑똑하지 못했단 이유로 때론
아무 이유 없이... 매일 맞고 자랐다.
부모님께 버림 받고 새로운 엄마 아빠를 여러 번
만났지만 모두 나를 버렸다.
밖에서는 친구들이 거지라고 놀리고 누구 하나 도와주는
사람 없이 나를 이상하게 바라보는 시선 들 뿐이었다

도대체 나한테 왜 그랬을까…
지금 내가 살고 있는 이 세상과 그 세상이 다른 게 뭘까?
지금이나 그때나 살면서 큰 웃음 한번 못 지어 보고
사랑도 못 받고 사람들에게 전부 무관심만 받아오며
살았는데...
항상 조그만 집에 틀어 박혀 한 명 한 명 사람들이 이
세상에 빠지는 걸 바라보며 지냈다. 괴로워하며 비참하게
죽는 모습을 볼 때마다 마음이 아팠고 그 놈이 시키는
일을 할 때마다 두렵고 떨렸다.

집 안에서 혼자 괴로워하며 쓸쓸한 하루 하루 가
흘러갔다.

그러던 어느 날 로사 라는 어린 아이가 나에게 찾아왔다.
아이도 처음에는 무서워하고 당황했지만 정말 우울증에
걸린 게 맞나 라는 생각이 들 정도로 꽤나 밝은
모습이었다.
참 신기했다. 왜 이 아이는 죽지 않지? 보통 다른
사람들은 우울증에 걸렸다는 또 다른 죄책감 땜에 자기의
삶을 금방 포기 해 버리고 말았는데.
설마 이 아이가 그걸 이겨낸 걸까?
아니다. 그럴 리 없다 쉽지 않으니까
아님 정말 이 아이에 말대로 신이 도운 걸지도 모른다
그렇다면 지금 죽지 않고 그 놈이 시키는 대로 하고
살아가는 나도 신이 도운 것 일까? 난 돌아갈 가족도
없는데…
가족이 보고 싶지는 않다... 너무 미워서 죽여 버리고
싶을 정도지만 더 나쁘고 악한 사람이 되기는 싫다.

로사 만큼 조금이나마 나에게도 희망이 생기면 좋겠다
희망이 생겼다고 긍정적으로 말 하고 싶다.
지금은 함께 여기서 나갈 방법을 생각하고 탈출 시도를
하는 중이지만... 내가 여기서 못나가거나 죽더라도 로사..
이 아이만큼은 꼭 내 보내고 싶다.
이 아이만큼은 나 같은 어른으로 이곳에 갇혀 지내도록
놔 둘 순 없으니까.
앞으로의 인생을 기쁘게 살아가며 꿈을 향에 나아가야 할
나이에 이 세상에 오는 로사 같은 어린 아이들을 보면
구해주고 싶고 불쌍한 마음에 두 눈을 질끈 감곤 한다.
이 아이를 볼 때 마다 과거에 내가 떠오른다. 너무
비교되니까... 지금도 이 아이는 꼭 살아남을 거라 믿으며
당당히 걷고 있다.
로사는 우리가 함께 이 어두운 세상을 나갈 수 있을 거라
생각한다.
하지만 정만 이 아이와 내가 정말 같이 나갈 수 있을까?
난 죽어도 상관없다. 아니 차라리 죽고 싶다.
여태 잘 버티며 살아 왔으니까. 이젠 편히 쉬고 싶다
지금이라도 죽으면 난 어디로 갈까? 내가 바라던

천국으로 가게 될까? 천국으로 가면 과거의 나를 만날 수 있을까? 해주고 싶은 말이 너무 많은데...
내가 죽는 날이 오더라도 그 죽는 날 만큼은 멋지고 싶다.
그 아이에 인생에서 영원히 기억에 남는 사람이 될 수 있도록..
-카밀라-

난 로사다. 이곳으로 처음 왔을 때 많은 사람들이 나무나 동물들에게 잡혀 서서히 죽어가는 광경을 지켜 보았다.
난 카밀라 아줌마 집으로 떨어져서 다행이 살아 남았다.
카밀라 아줌마에게 들은 이곳의 사정은 충격 적이었다.
난 미처 몰랐다.
우울증에 걸려 이렇게나 많은 사람들이 죽고 있는 줄...
학교에서는 친구들의 따돌림과 매일 시키는 심부름의 연속 이였고 부모님은 나의 성적 땜에 싸우다가 결국 이혼했다.

살면서 부모님의 무관심을 받고 자라 삶에 대한 회의감을 느끼며 우울증을 키워 나가다 결국 이 세상에 빠지고 말았다
그리고 카밀라 라는 어느 젊은 여자를 만났다.
그 여자의 사정을 들어보니 꾀나 힘든 일을 많이 겪은 것 같았다.
처음엔 나갈 수 있는 문이 있다 해서 바로 여기서 나갈 수 있을 거라고 생각했는데 그렇게 쉬운 일은 아니었다.
벌써 탈출 시도를 한지 일주일은 넘었을 거다.
카밀라 라는 여자는 처음엔 정말 시크하고 무뚝뚝해서 그다 좋은 사람은 아니라고 생각했지만 함께 지내다 보니 꾀나 자상한 면은 있는 것 같다.
이런 심한 우울증을 겪고 이 곳에 떨어져 보니 많은 생각이 들었다. 여기서 나가서 다시 멋진 삶을 살아보자는 생각이 들기도 했다.
나의 세상에서는 지금 이 삶을 빨리 끝내고 싶다는 생각밖에 안 들었었다.
오늘 죽자 하고 계획했고 실패하면 또 내일은 죽자 하며 죽음을 생각했다

그러나 지금은 조금이나마 우울 감을 이겨내기 위해
다르게 생각 해 보려고 한다.
여기선 많은 사람들이 죽고 있었다.
근데 왜 나는 죽지 않았을까? 신이 나를 도운 걸까?
왠지는 모르지만 신기했다 내가 죽지 않았으니 지금 이
순간에 와 있는 거고 안 죽었다는 희망으로 나는 카밀라
와 함께 여기 있다.
이제 목표가 생겼다
카밀라와 함께 이 세상을 나가는 것!.
카밀라와 지내는 게 나는 너무 좋다 카밀라 아줌마는
가족도 없고 집도 없다고 하셨다 가끔 그런 생각을
해봤다.
카밀라 라는 여자와 같이 살아도 되지 않을까?
그러면 나의 인생이 조금이나마 바뀔까?
이곳에서 나가더라도 나에게 아무 관심 없는 예전
세상으로 돌아가긴 싫었다.
그럼 여기서 나간 것이 의미가 없으니까 하지만 또
이곳에서의 삶은 끔직하다

생각이 복잡해 졌다 둘의 세상이 뭐가 다른지 나는 도저히 모르겠다.

그럼 죽으면 되지 않을까?

죽으면 천국으로 갈까? 예전엔 자살을 해도 천국에 갈 수 있을까… 라는 생각도 들었다 어린 나이에 우울증에 걸려 자해와 자살시도를 밥 먹듯이 해왔다.

하면 안돼 는 걸 알지만 습관처럼 하게 된다.

아무 재능도 없고 공부는 여전히 못하니까.

어쩔 땐 나의 미래를 상상해 보곤 했다.

둘 중 하나겠지 아무것도 할 수 없어 바보처럼 멍청하게 살고 있는 나. 아니면 그렇게 살다 결국 죽는 나.

살면서 힘든 날이나 힘든 점은 다 있다고 했다.

하지만 왜 나는 살면서 매일 겪어야 하는가.

심지어 마음 것 뛰어 놀고 열심히 꿈을 펼칠 나이에 왜 나 같은 어린이들이 이 세상에 와야 하나.

나는 이 세상에 오는 사람들이 다 없어지기를 바랬다.

한 사람의 인생을 망치는 건 역시나 사람이니까.

좋은 사람들도 많다고 했는데...

그 많은 사람들 중에 한 명만 내게 손을 내밀어 주길
바랬는데..
그런 어른들이 없어서 아이들이 이 꼴이 된 게 아닐까?
가끔은 사람을 만드신 하나님께 울면서 기도했다 .
왜 사람을 만들었냐고 아니 왜 나를 태어나게 만들었냐고
이렇게 살고 싶지는 않았으니까 아무도 나에게 관심을
주지 않으니까..
지금 이 세상 에서도 누군가 나를 구해주길 바란다. 그게
누가 됐건 상관없으니까. 지금은 카밀라와 같이 여기에서
나갈 수 있을 거라는 희망을 버리지 않기로 했다.
만약 못나가더라도.. 괴로움을 견디지 못하여 죽던지
아님 나무나 동물들에게 잡혀 먹혀 죽더라도 결국엔
천국에서 행복하게 살기를 빌면서.
-로사 블랑카-

작은 기쁨이라도 행복이니까

"아줌마는 여기서 나가면 결혼할 생각 있어요?"

나는 손을 만지 작 대며 무뚝뚝한 표정을 하고 있는 카밀라 에게 말을 걸었다.

"없어. 어차피 못해."

"왜요? 얼굴 그 닥 나쁘지 않은데? 아니 시크한 여자 좋아하는 남자가 얼마나 많은데요~"

"……"

카밀라는 딱히 관심이 없는 듯 했다. 표정을 보니 많이 기운이 없어 보였다

"흠… 잠을 못 자서 그래요? 새벽마다 잠도 못 자고 계속 깨더니."

"그런 거 아니야."

카밀라가 낮은 목소리로 말하자 나는 입을 삐쭉 내밀었다.
"에휴. 쉬는 것 도 적당히 쉬고 어서 가요. 아까 박쥐 때한테 쫓기느라 무릎 빠지는 줄 알았어요. 아 지금도 아프네..."
그러자 카밀라는 나를 쳐다보며 말했다.
"너는 무섭지도 않아?"
"네?"
"무섭지 않냐고. 맨날 밝고 긍정적이고 우울한 게 맞아? 이 세상에서 너 같은 사람은 진짜 처음 봤네?"
카밀라의 말을 듣고 밝았던 나의 표정은 점점 어두워졌다.
"그럼.. 어떻게 해야 되는데요?"
나는 카밀라를 빤히 쳐다보며 말했다.
밝았던 나의 얼굴은 금방 어두워 졌다.
"뭐?"
"어떻게 해야 되냐고요. 그때에 원래 세상에서 지냈던 것처럼 똑같이 할까요? 그때는 웃지도 못했는데. 여기 와서라도 나갈 거라고 생각하고 웃으면서 한번 밝게 지내보려고 그랬죠. 이젠 저를 싫어하는 사람이 없으니까. 근데…"

나는 카밀라의 곁에서 조금 떨어져 앉았다 내가 무슨 예길 해도 카밀라는 결국 이해 해 주지 않을 거란 생각이 들었기 때문이다.
카밀라는 한참을 그 자리에 앉아 있다가 일어서서 내 곁으로 다가왔다
난 쓰러진 나무 위에 앉아 컴컴한 하늘을 바라보고 있었다.
“왜 아무것도 없는 어두운 하늘을 보고 있어...?”
카밀라는 나의 옆자리에 앉으며 말했다.
“별이 있는 것을 상상 하고 있어요”
“별?”
“내가 사는 세상에서는 힘들 때 밤에 하늘을 가끔 쳐다 봤거든요 그럼 하늘에 별이 진짜 많았어요 그 수많은 별들 중에 가장 빛나는 별이 하나 있었는데 세상 에서는 그 별을 보면서 버텼어요.”
나는 손으로 하늘을 향에 들었다.. 하지만 이 세상의 하늘은 온통 어두운 밤일 뿐 이였고 아무것도 빛나지 않았다.
“그때는 웃지 못했다고 했지..?”

"우리 엄마가 제가 어릴 때도 잘 웃지 않았다고 했어요."

"나도야."

"네?"

"나도 웃어 본적이 별로 없어 여기에 와서 그렇게 밝고 긍정적인 너의 모습을 보니까 처음엔 잘 이해가 안 됐어 근데 이제 알고 보니까 대단한 거였네."

그 말을 듣고 카밀라를 말없이 쳐다보았다.

"왜?"

"신기하죠. 사람이 살면서 별로 웃지 않았다는 게. 심지어 우리 둘 다…아마 행복하지 않아서 겠죠?"

"그래도 살면서라도 한번쯤은 행복한 적이 있었지 않을까?"

"웃지 않았는데요?"

"꼭 웃어야만 행복한 건 아니잖아. 행복한데 잘 표현을 못하거나. 마음속으로 조금이나마 즐거웠다면. 그게 행복한 거지 않았을까?"

갑자기 머릿속에 과거의 일 하나가 떠올랐다.

"음…그럼 그때.."

"어?"

"아 아니에요. 우리 이제 다시 가요. 어디로 가야 하죠?"
카밀라와 나는 다시 출구를 향해 발걸음을 내 디뎠다
나의 기억 속엔 그때의 장면이 흐릿하게 생각 나고
있었다.

* * *

"하하하 진짜? 겁나 웃기네."
"진짜 완전 개웃김!"
"저기... 나도 같이 놀면 안될까?"
"어? 야~ 너 이름 뭐였지? 뭐? 로사? 이름이 뭔
그따구냐. 외국인도 아니고… 아 맞다. 너 우리 옆 학교
다니지?"
"야. 애 학교에서 찐 따. 푸핫!"
"아 그니까. 왜? 심심해? 헉! 설마 가출 한 거야?
어떡하냐 놀 친구가 없어서~?"
"가.. 가출한 거 아니야! 심심해서 잠깐 나온 거야."

"아이 씨. 야 어따 대고 소리를 질러? 어?"

"아야!"

순간 한 친구가 나의 어깨를 밀쳐냈다.

"야야 그만해 그만 해!. 아니 그니까 집에서 할 일이 더럽게 없나 봐? 머리가 안 돌아가면 공부를 좀 하든가 집에서 어? 야! 나누기는 할 줄 아냐?"

"우 쭈쭈 우리 애기~ 언니가 나누기 알려 줄까~?"

"푸하하하핫"

"나.. 난.. 찐따 아닌데..."

"뭐라고? 목소리가 쥐똥 만해서 안 들려. 푸핫!"

그때였다.

"야! 신예진! 너 뭐 하는 거야?"

한 남학생이 나를 괴롭히던 친구들에게 다가왔다.

"아.. 태원아. 너 학원 간다 그러지 않았어?"

그 남자 아이가 나타나자 호랑이였던 신예진의 표정은 순한 강아지처럼 변했다.

"뭐하냐? 애들 괴롭히냐?"

태원이라는 아이는 나를 놀리는 예진 이라는 여자애와 어릴 때부터 친한 사이로 보였다

“아니야 태원아 학원 가고 있었어… 잠깐 친구 만나고 있는 거야”

“학원은 이미 네가 이 아이 놀리는 사이에 다 끝났고. 네 숨겨진 인성은 이 카메라에 다 찍혔어.”

“뭐? 아니 그게 아니라. 태원아!”

예진이는 태원이의 손을 잡았다

“놔! 너 옛날 부 터 성격 못된 거는 알았는데. 이정도 일 줄은 몰랐네. 앞으로는 보지말자? 알겠지?”

“아니! 태원아!”

태원이는 예진이의 말을 무시하고 내 쪽으로 점점 다가왔다.

“괜찮아?”

태원이는 나에게 손을 내밀었다.

하지만 나는 손을 내밀어준 태원이를 뿌리친 채 뒤도 안 돌아보고 집으로 달려갔다 .

“로사야!”

나는 숨을 헉헉대며 집 안으로 들어갔다. 집 안에서는 엄마 혼자 설거지를 하고 있는 모습이 보였다.

“다녀왔습니다..”

"아이고.. 꼬라지 봐라 또 밖에서 이상한 짓 하고 왔구먼. 참 더럽게도 산다~ 몸이다 흙 투성이고 에휴.."

당연히 그렇겠지. 애들한테 맞으면. 바닥에 있는 흙 더미를 나한테 던지니까...

"뭐 하는데 거기 서서! 빨리 화장실로 안 들어가!? 빨리 샤워하고 방으로 들어가. 공부를 좀 하고 살아야 할거 아냐!"

나는 급하게 화장실로 들어가 문을 잠그고 그대로 주저앉았다.

"하.. 그 태원 이란 애 대체 뭔데"

이제는 애들한테 놀림 받아도 눈물이 안 난다 익숙하니까 울만큼 울었으니까...

그때는 표현하지 않았지만 그 아이가 손을 내밀 때 정말 행복 했었던 것 같다 행복 이란 걸 처음 느껴봐서 그런지 그것이 행복 이었는 줄 몰랐나 보다.

그때 태원이란 아이가 난생 처음 내밀어준 손을 잡았다면.. 내 인생이 조금이나 달라졌을까...?

2년 전 이야기 이지만 아직까지 잊을 수 없는 이야기다.

여기에서 나가면 이 친구를 한번만 더 만나고 싶다.
만나서 그때는 고마웠다고 처음 손을 내밀어준 아주 착한 친구였다고 얘기해 주고 싶다.
지금쯤은 뭘 하고 있을까... 그때는 2년 전 일이고 지금은 나와 같은 6학년이 되었겠지 그 친구가 나에게 힘이 되었지만 지금 이 순간에는 카밀라 아줌마가 정말 힘이 되는 것 같다.
카밀라 아줌마가 나에게 말했다.
작은 기쁨이라도 행복이라고.
카밀라가 나에게 힘이 되어주는 것처럼 나도 카밀라를 웃게 해드리고 싶다 작은 기쁨이라도 주면서 말이다.

심어진 빛

생각보다 많은 사람들의 죽음에 놀랐다.
우울 이라는 게 이만큼이나 무서운 거였는지 몰랐으니까.
세상에 빛이 없다는 건 정말 무서운 일 인 것 같다. 지금 이 순간에도 많은 사람들이 우울증 에 걸려 끝없는 밤을 보내고 있을 것이다.
하나뿐인 삶을 왜 우리들은 어두운 밤에서 보내야 하는 걸까... 왜 사람들은 다 무관심 일까... 왜 사람이 사람의 인생을 망치는 걸까 하지만. 나는 내 인생을 망치는 것이 나 자신이라고 생각했다. 그래서 칼로 긋고 때리고

찢고를 반복하며 지냈다 그런 하루하루가 나에겐
밤이니까.
우울함을 격 는 사람들한테는 빛이 없으니까. 누군가가
빛을 심어주면 되는데 무관심 이니까.
보통의 우울증은 무관심으로 시작 된다. 사람들은 대부분
“나하고 상관없어” 라고 생각하거나 아예 관심이 없는
경우가 많다 그럴 때 우린 혼자라고 느낀다. 혼자라고
생각하는 마음이 커지면 나를 미워하게 되고 밤이
찾아온다.
힘든 점을 아무도 이해해주지 않거나 들어주지 않을 때
말이다.
사람은 살면서 작은 관심이라도 받아야 한다고 생각 한다.
그렇지 않으면 혼자가 되니까 사람들한텐 다 힘든 점이
있다. 하지만 그것을 아무도 들어주지 않고 관심이
없으면 혼자라고 느끼는 것이다.
끝없는 밤... 큰 동굴 안에 앉아 카밀라와 쉬고 있을
때였다.
“너무 머니까 이렇게 중간중간 쉬어줘야 하는 거야”
“여기 온지 얼마나 됐어요..?”

"뭐?"

"아니에요"

"싱겁긴... 나 잠깐 어디 좀 다녀올게"

"어디요?"

"금방 다녀올게 쉬고 있어."

"다녀오세요."

카밀라가 내 시야에서 사라지고 난 혼자 남았을 때 였다.

"혼자 있을 때는 별을 맨날 봤었는데..."

난 하늘을 쳐다보았다 하지만 온통 검정색일 뿐 이였다.

슬픈 마음에 몸을 감싸 앉아 있었다.

그때를 생각하고 다시 고개를 들어 하늘을 쳐다봤다.

"어?"

하늘에는 별같이 생긴 작은 빛 하나가 반짝이고 있었다.

그 빛은 마치 나를 바라보는 듯 나를 비추고 있었다.

난 곳 깨달았다 누군가 날 여기서 꺼내주려고 하고

있다는 걸 말이다.

그때 카밀라가 돌아왔다.

반짝이던 빛은 잠깐 동안 반짝인 뒤 내 눈 앞에서

사라졌다.

나는 내가 헛것을 본건가 라고 생각했다.

하지만 분명 정확한 빛이었다.

“표정이 왜 그래?”

“아니 별빛을 본거 같아서요..”

“별? 너무 피곤한 거 아니니? 너 좀 자라 자야 할 것 같아.”

“저요?”

“그래 별을 봤다니… 난 이곳에서 20년 동안 살면서 하늘에 별을 본 적이 없는데 별을 봤다고? 잠이 모자라서 환상을 본걸 거야.”

난 순간 억울한 마음이 들었다.

별을 20년 동안 보지 못하고 어두컴컴한 세상에서만 살아온 카밀라 아줌마 앞에서는 이곳에서 별을 봤다는 말이 및 기지 않는다는 건 이해가 갔지만

카밀라가 그렇게 예기 한다고 해서 내가 정말 그 별을 본게 헛것이라고 믿지는 않는다.

누군가 정말 나에게 희망을 주고 있는 거 라고 말해주면 좋겠다. 아니 그럴 거라 믿는다.

비록 작고 짧은 빛 이였지만 내 마음을 조금이나마

위로해주는 따뜻한 빛 이였다.

시간의 왜곡

모르겠다... 전혀 모르겠다... 지금이 어느 때인지 얼마나 시간이 흘렀는지 알 수가 없다.
정신이 이상해진다 여기서 너무 오래 머물러있던 탓인가... 시간의 흐름이 이상하게 느껴진다...
카밀라 아줌마는 20년이라는 시간 동안 어떻게 여기서 버텼을까... 처음에는 별게 아니라 생각 했다 노력해서 나가면 된다는 생각만 했다. 하지만 이곳에 머무를수록 점점 더 외로워져 갔고 힘들고 포기하고 싶었다. 하지만 카밀라 아줌마가 옆에 있었기에 조금이나마 버틸 수 있었다. 처음에 밝았던 나의 모습 또한 점점 사라지고 있는 것 같았다.
"근데요."

"어?"

"아줌마는 시간을 모른 체 지내왔어요..?"

"그렇지?"

"도대체 어떻게 그런 많은 시간을 버텼어요? 난 답답해 미치겠는데. 어느 때는 시간이 너무 빨리 지나가는 것 같고 어쩔 때는 너무 느리게 지나가기도 하고 그러잖아요"

그러자 카밀라는 입꼬리를 올리며 고개를 끄덕였다.

"나도 과거에는 몰라서 답답했지만 지금은 너를 보면서 시간을 예측 하기도해."

"네? 저를 보면서요?"

"응. 이 세상에서는 모든 게 멈춰져 있는 것 처럼 보이지만. 사실 사람이 자라는 건 원래의 세상이랑 똑같아. 난 내가 자라는 모습을 보면서 시간이 흐르고 있다는 걸 알았지. 그리고 지금은 네가 자라고 있는 모습을 보면서 대충 시간이 이 정도가 흘렀겠구나 하고 알 수 있는 거야. 여기서 지내다 보면 시간의 흐름이 잘 느껴지지 않을 때가 많아 정말 절망적이지… 하지만 그것 말고 더 절망 적인 건 내가 우울증 에 빠졌다는 걸 스스로 깨달을 때야 외롭고 비참하고 어둡고.."

카밀라는 한참 동안 내 눈을 바라보았다.

"저는 그게 궁금 한 거에요. 제가 정말 저를 받아들일 수 있는지."

그러자 카밀라는 작은 미소를 보였다.

"너는 나랑 너무 비슷해."

"아…그런가요?"

살짝 당황해 하는 나를 보며 카밀라는 다시 발걸음을 재촉했다

"빨리 가자 어서 와~"

카밀라와 나는 다시 어두운 밤 길을 걸어갔다.

-뚜벅뚜벅

두 사람의 발걸음 소리…

조용하고 끝없는 밤 속에서는 온전히 이 소리만 울려 퍼진다.

내면의 목소리

우리는 쫓기고 또 쫓겼다. 우리의 생명을 노리는 악한 생명체들한테 지금까지 계속 도망 쳐왔다.
마치.. 친구들에게 또 괴롭힘을 당할 까봐.. 엄마한테 혼날 까봐 다 망쳐 버릴 까봐. 두려움에 떨면서 도망치던 나의 모습이 자꾸만 떠올랐다. 자신감이 떨어질 때 마다 이상한 목소리가 들리기 시작했다. 과거에 그랬던 것처럼..

* * *

그냥 끝내..

"싫어.."

넌 할 수 없어

"버티면 되잖아.."

죽으면 끝나잖아

"안 된다고.."

아무도 네 편이 아니잖아

"그렇지만.."

살면 피곤해! 죽어 그냥 죽으라고!!

"야 꺼져.."

넌 혼자야

"그만하라고.."

계속해 계속 자해 하라고 하고 싶잖아!

"제발!!!"

잘 버티면서 살아가려고 애 쓰는데 데 왜 그럴까. 인생이 뭐라고...

지금 이 상황에서 하루 하루 버티면서 살고 있는 내가
너무 미워서..
그래서 잠을 잘 수가 없어. 하루라도 편하게 잠들어
본적이 없어. 이 소리 때문에 하루라도 눈물 없이 잠들어
본적이 없어.
자꾸만 나를 방해해. 주변 사람들 그리고 나 자신까지도...

* * *

지금도 계속 들려온다. 내면의 소리가...
듣고 싶지 않지만 들린다 귀를 막아도 들린다. 왜 이
소리가 들리는지 고민했다.
목소리가 들릴 때마다 다 포기하고 싶은 마음 밖에 들지
않았다.
지금 탈출을 시도하는 상황에서도 정말 탈출 할 수 있는
것이 맞는지 의문이 들 때가 많다.

하지만 지금은 카밀라 아줌마를 믿어보려 한다. 지금까지 잘 지켜주었으니까 같이 잘 버텨왔으니까
지금도 꾹 참고 있다 목소리가 들려와도 이기려고 말이다.
"아까부터 왜 그러고 있어?"
귀를 막으며 길을 걷고 있는 나에게 카밀라가 말했다.
"목소리 때문에요."
"목소리? 무슨 목소리?"
"내면의 목소리요 자꾸만 저를 방해하잖아요. 할 수 없다고 하면서... 이 목소리 한 테 홀려서 산 세월이 몇 년인지...."
카밀라는 이런 나를 보고 알 수 없는 미소를 지었다.
"힘들겠네. 하지만 그건 너의 진짜 목소리가 아니잖아."
"네?"
"그 목소리는 네가 겪은 상처에서 나온 거잖아 하지만 그 상처가 네가 누구인지 정의 하지 않듯이. 그 목소리도 네가 될 수 없다는 걸 기억 해야 해. 조금만 더 깊게 숨쉬면. 그 너머에서 진짜 너를 찾을 수 있지 않을까? 그러길 빌게."
"네…"

이상하다. 카밀라가 나에게 말을 건넨 그 다음부터 목소리가 들리지 않았다. 계속 그래왔다 내가 힘들 때 마다 카밀라의 말 한마디와 위로에 힘든 점이 나아졌다. 카밀라의 한마디 한마디는 나에게 정말 큰 도움이 되었다. 혹시 나도 카밀라에게 큰 도움이 되는 한마디를 건넬 수 있지 않을까...

사람들에게 행복이 되어주는 그런 아이가 되고 싶다. 더 이상 피해를 주는 아이가 되고 싶지는 않으니까 말이다.

나를 사랑하는 법

"나는 배우고 싶은 것이 하나 있어요."

"뭔데."

"나를 사랑 하는 법."

옛날부터 바래왔던 것이다. 나를 사랑하는 것.. 도대체 어떻게 하는지 모르겠으니까..

옛날부터 나의 모습이 너무 싫었다.

그래서 과거에는 거울조차 잘 보지 않았다.

아무도 가르쳐주지 않았다 나 자신을 스스로 사랑하는 것을… 어떻게 하는지 몰랐던 나는 매일이 스트레스였다.

* * *

“자 여러분~ 여러분은 이제 애기 가 아니에요. 이제 멋지고 예쁜 7살 이니까 선생님 말씀을 잘 들어야 해요~”

“-네~”

“좋아요~ 그러면 먼저 구호부터 배워볼게요. 선생님이 박수를 두 번 치면 집중 이라 외치는 거에요~ 한번 해볼까요?”

-짝짝

“집중!”

“너무 잘하는데? 자 다들 잘한 나를 꼭 안아주면서 잘했어~ 라고 외쳐주세요. 시작!”

“잘했어~”

“좋아요.”

“로사야. 너는 왜 안하고 있어? 집중해야지”

“아... 응...”

“야. 재한테 말 걸지마..”

“왜?”

“엄마가 재 이상 하다고 했어... 막 이상한 행동한다고 어울리지 말래.”

“그래? 난 잘 모르겠는데.”

“에이. 그래도 어른들 말 들어야지 이쪽으로 와.”

“아 어!~”

* * *

어렸을 때부터 나쁜 버릇이 있었다. 불안하고 힘들 때면 손톱을 뜯었다

그것 때문일까. 아이들이 나를 이상하게 보기 시작했다.

7 살이 끝나갈 떼부터 자해를 시작했다.

그게 점점 심해져서 이제는 수업시간 에도 습관적으로 손등을 미친 듯이 긁었고. 그것을 본 아이들을 나를 이상한 애로 취급했다.

"제 장애 있는 거 아니야..?"

"정신적으로 문제가 좀 있는 듯".

나는 또 그런 내가 너무 싫었다.

그래서 이제는 몰래 한다.

방에 혼자 들어가서 끔직한 짓을 한다거나 자살시도를 한다거나..

그럴 때마다 신기하게도 자꾸만 무슨 일이 생겼다 .. 밥 먹어라 잠깐 나와봐라 등등 엄마의 목소리가 들렸다

엄마의 목소리를 듣고 나와보면 엄마는 그런 말을 한적이 없다고 했다. 하지만 자꾸 진짜로 죽으려 할 때마다 들렸다. 뭐하냐고…. 거기서 나오라고… 후회할거라고…

인생이 나를 불렀던 걸까..?

나를 사랑 하기만 하면 되는데... 그러면 자해도 안 해도 되고 이런 세상에 빠지지도 않았을 꺼다.

하지만 내 마음대로 되지 않는 일이다.

내 맘대로 되지 않기에 "거지같은 인생..." 하면서 내 삶을 포기하려 했던 것이다. 카밀라 아줌마도 자신 사랑하는 게 힘들고 스트레스였을까..? 나랑 같은 마음 이였을까?

나 자신을 사랑한다는 게 정말 쉬운 일일까...

우울 감에 빠진 사람들이 제일 어려워하는 것이 이거 아닐까...

자신을 사랑하는 것…

사랑 안하고 싶은 게 아니다. 나도 나를 사랑하고 싶다.

하지만 어떻게 하는 건지 모르겠다.

나를 아끼고 사랑하는 것이 이렇게나 어려운 일일까...

세상에서 제일 어려워... 나한테는 말이야…

우리들의 꿈과 소원

나는 꿈이 있다. 주변 사람들을 더욱 행복하게 해주고
항상 삶을 감사하며 사는 꿈.
나는 소원도 있다. 여기서 나가서 더 넓고 행복한
세상에서 살아 가족이 생기는 소원.
-카밀라-

나는 꿈이 있어요. 주변 사람들에게 힘을 주고 자유로운
사람이 되는 꿈
나는 소원도 있어요 여기서 나가서 나 자신을 사랑하게
되는 소원.
-로사 블랑카-

사람들에겐 전부 소원과 꿈이 있다. 자신이 어른이 되면 무슨 직업을 가질지..자신이 어떻게 살아 갈지를 꿈꾼다.
하지만 우리들은 다르다.
우리에게 꿈은 단순한 소망이 아니다.
꿈을 꾸는 것 자체가 너무 힘들게 느껴지기도 한다.
하루하루가 고통스럽고 앞을 바라보는 것조차 불가능 한 것처럼 느껴지기도 한다.
그래서 우울증에 걸린 사람들은 꿈을 꾸는 것조차 잊고 그냥 그 자리에 멈춰 있을 때가 많다.
하지만 우리는 잃은 것을 다시 되찾으려는 꿈을 꾼다.
카밀라의 꿈은 과거의 사랑하는 가족과 함께 있고 행복하게 사는 것.
나의 꿈은 사람들에게 힘을 주고 나 자신을 사랑하며 자유롭게 사는 것.
우리는 인생을 다시 새롭게 사는 꿈을 꾼다. 항상 그러길 바란다.

더 깊은 어둠 속으로

다시 시작된 탈출시도...

"나 도저히 모르겠는데."

다시 길을 걸었다. 컴컴한 길. 왠지 길을 일어버린 것 같다.

"… 길 다 안다면 서요."

"하.. 하도 오래되서.."

"이해해요. 뭐 다시 가면 되죠."

"그래. 아마도 우리 반대쪽으로 온 것 같아. 그러니까 다시 돌아서 가자."

"네."

우리는 방향을 다시 틀었다 그리고 한참을 걸었다.

"안 믿겨요 갑자기... 아니 가끔..."

"뭐가?"

"제가 여기 왔다는 게요.. 이게 내가 맞나 싶고.."

그러자 카밀라는 나를 보고 작은 웃음을 지으며 말했다.

"그런 생각 들 수 있어 나도 옛날에 그런 생각 많이 들었어 근데 로사 네가 여기 있다는 것. 그리고 이렇게 싸우고 있다는 게 이미 큰 용기잖아 아무리 믿기 힘들어도 지금 이 순간이 네가 살아있다는 증거니까 그 자체로도 충분한 의미가 있는 거야".

카밀라의 위로는 내 맘을 또 크게 울렸다.

카밀라가 나를 위로 해 줄 때마다 마음 속에 억눌려 있던 무언가가 하나 하나 풀리는 느낌이었다.

"아줌마 저기 동굴이 있는데요? 혹시 저기로 가야 돼요..?"

"그런 거 같은데.. 저 안으로 들어가자"

우리는 어두운 동굴 속으로 서서히 들어갔다. 들어가면 들어갈수록 어둠은 더 깊어졌다.

"여기로 더 들어가면 되는 거에요?"

"내 기억으로는 그래…"

나는 카밀라를 믿고 따라갔다. 기분 탓일까? 가면 갈수록 동굴이 점점 낮아 지고 있다고 느꼈다 . 그리고 점점 더 어두워 졌다.

이제는 카밀라의 얼굴조차 안보일 만큼 어두워져 앞이 안보이기 시작했다.

"아줌마? 이거 맞아요..?"

"맞다니까.. 그냥 동굴이니까 더 어두워지는 것뿐이야"

알고 보면 조금 불안한 점이 없진 않지만 . 그래도 믿고 가야 하니까..

"아야~!"

앞이 안 보이는 바람에 돌에 머리를 부딪혔나 보다.

"야야.. 아 뭐야 이거.."

앞이 보이지 않았던 나는 손으로 내가 부딪친 쪽을 만졌다. 그러자 카밀라도 똑같이 나를 따라 그곳을 만졌다.

"어.. 어?"

"왜 그래요?"

"야 뛰어!"

카밀라는 내 옷자락을 잡았다. 그리곤 미친 듯이 동굴 안으로 더 깊숙이 들어갔다

"헉헉.. 아니 뭐에요! 왜 갑자기 뛰어요!"

카밀라는 당황한 표정으로 말했다

"네가 만진 건 박쥐 왕의 집이야.."

"박쥐 왕이요? 근데 왜 뛰어요?"

"박쥐 왕이 머무르는 곳을 잘못 만지면 모든 박쥐들이 우릴 따라올지도 모른다고!"

박쥐? 왕? 그걸 만졌다고 박쥐들이 뭐?

솔직히 이해가 잘 가지 않았다. 단지 조금 만졌다고 박쥐들이 우리를 공격해 올까..

하지만 뒤에 펼쳐진 상황은 내 생각이 틀렸음을 말 해주고 있었다.

동물들의 습격

-크르르릉..

동굴 안에서 들리는 소리였다. 카밀라와 동굴 뒤쪽을 바라보았다.

"뭐지..?"

그때 시작됐다. 박쥐들의 습격이.

동굴 속… 빨간 눈…큰 냉장고만한 박쥐가 우리를 화난 눈으로 노려보고 있었다

"...로사야"

"...네"

"아무래도.. 다시 뛰는 게 좋겠지?"

카밀라는 나를 슬쩍 바라보며 말했다.

“네.. 일단 뛰어요!”

우리는 또 다시 뛰기 시작했다. 그러나 앞에는 커다란 박쥐 한 마리가 우리 앞에 거꾸로 매달려 있었다 희미하게 빛이 들어오는 곳으로 향하는 순간 나는 박쥐의 모습에 경악 할 수 밖에 없었다 .

저게…. 박쥐가…. 맞아?..

그것은 박쥐라고 상상할 수도 없을 만큼 끔직한 모습을 하고 있었다 온 몸엔 검정 비늘이 덮여 있었고 커다란 눈은 온통 빨갛다 못해 핏빛으로 물들어 있었다 날카로운 송곳니는 내 손가락 보다 더 컸고 날개 끝의 발톱에는 톱날 같은 것들이 달려 있었다.

그 뒤를 향해 그것보다 작고 요상하게 생긴 박쥐들이 떼를 지어 우리 쪽으로 날아오고 있었다 그 박쥐는 계속 우리를 향에 돌진했다.

아마 녀석이 내가 아까 만졌던 박쥐 왕 이었나 보다

젠장 너무 크다... 너무 너무 무서워서 손발이 다 떨렸다.

우리는 미친 듯이 옆 길로 도망쳤다

“아니! 바보야 저걸 만지면 어떻게!”

“아니 제가 알았냐고요!”

정말 두 눈 질끈 감고 도망쳤다. 상상만해도 끔직하다 사람을 산산조각 낼 거 같은 이빨.. 무서운 눈 날카로운 발톱까지 모두 무시무시 했다.

"헉헉 으앗!"

두 눈을 질끈 감고 달리다. 다리에 돌이 걸려 넘어졌다. 큰일났다.. 이걸로 끝인가… 내가 저 박쥐한테 죽을 운명인가..

"로사야! 아 진짜 어떡하지.."

카밀라도 나에게 쉽게 다가올 수 없었다. 이미 주저앉은 내 바로 앞에 박쥐는 흉측한 모습을 하며 날 죽일 듯 처다 보고 있었기 때문이다.

왕 박쥐는 날개를 펼치며 나에게 소리 질렀다.

모든 것이 끝났다고 생각 한 순간 나는 나도 모르게 박쥐에게 손을 내밀었다.

왠지 모르게 무서움이 사라졌다

나는 그 박쥐를 정면으로 바라보았다. 갑자기 무서운 마음보다 안타까운 마음이 들었다. 나는 박쥐의 눈을 지그시 바라보았다.

그러자 박쥐의 표정이 서서히 바뀌었다. 그러고는 나를 보고 당황 해하며 다른 박쥐 때들과 함께 도망갔다.

"뭐야."

카밀라는 충격적인 장면이라도 본 듯 큰 눈을 부릅뜨며 나에게 살금 살금 다가와 물었다.

"어떻게 한 거야."

"네? 뭐가요?"

"어떻게 했길래 박쥐들이 도망쳤냐고?"

"… 모르겠어요."

카밀라는 나를 뚫어져라 처다 봤다. 그리고 이 광경이 믿기지 않는다는 표정을 지었다.

어떻게 된 걸까.. 왜 박쥐들이 나를 보고 도망갔을까…

아직도 실감이 나진 않지만..

나의 상상에 맞겨본다.

＊＊＊

"정말 모르겠어?"

"… 모르겠어요."

카밀라는 나에게 몇 번이나 질문을 던졌다. 내가 박쥐를 쫓아낸 건 정말 신기했나 보다.

지금까지 악어, 박쥐, 나뭇가지들의 습격을 받았다…

하지만 나를 보고 도망간 건 박쥐가 처음이었다

카밀라 아줌마는 너무 신기해 하며 어떻게 박쥐를 쫓아냈는지 계속해서 캐 물었다 나는 슬쩍 짜증이 나기 시작했다 왜 박쥐가 도망 갔는지 나도 정말로 모르기 때문이다

"이제 그만 물어보세요 저도 정말 몰라요"

"그래 알았다.."

솔직히 계속 물어보는 거 진짜 너무 싫다.

＊＊＊

"야 야! 사올 거냐고 안사올 거냐고 야! 대답 안 해? 몇 번을 물어봐! 한 백 번은 해야 되나? 참"

친구들의 협박이 또 시작 되는 날이었다. 나는 잔뜩 겁에 질려 있었고 또한 친구들은 그런 나의 모습에 한번 더 비웃을 뿐 이였다.

"야! 아이 씨.. 귀 막혔냐고! 뭐 내가 좀 파줄까? 요 이쑤시개로?"

위협적인 물건을 많이 들고 있던 친구는 뾰족한 이쑤시개를 들어올리며 나를 위협했다. 나는 그런 위협적인 친구의 모습에 더 몸을 벌벌 떨 뿐 이였다.

"아 아니.. 미..미안해.. 내가.. 지..집 앞 편의점에서 사올게.. 라면.."

"그래 그래~ 착하네 진작 그랬어야지. 너 땜에 나 목 아프잖아~"

나는 아무것도 할 수 있는 게 없었다 조용한 학교 뒤 근처에 불러 나를 빙 둘러 싸고 있었을 뿐 이니까. 나는 그것을 매일 반복해야 했다. 하지만 매일 겪는 일에도 불구하고 온몸이 떨리는 것은 멈출 수 없었다.

"야 있다가 4시에 학교 정문으로 라면 들고 나와 늦거나 안사오면.. 알지?"
덩치가 큰 친구는 나의 어깨를 툭툭 치며 말했다.
"으 ..응 가 갈게 학교 저 정문으로.. 미 미안해.."
"맨날 이럴 때만 미안해~ 미안해 그러지. 어? 그렇게 미안하면 우리가 시키는 대로 잘 하던가 아님. 뒤지든가."
"푸하하하핫"
"......"
그렇게 친구들한테 나는 끝없는 질문을 받았다. 사올 거냐 안사올 거냐 시키는 데로 할거야 안 할거야..
대답을 안 하면 때리면서 백 번은 다시 되돌아 물었다.
그렇게 나는 반복하면서 질문하는 게 너무 싫다.. 마치 그때로 돌아간 것 같은 기분이었다.
우리는 다시 숲 속으로 들어갔다. 동물들이 언제 튀어나올지 모르는 상황에서 마음 편히 갈 순 없었다.
그때였다. 갑자기 코를 찌르는 이상한 냄새에 나는 코를 막았다.
"읍.. 이상한 냄새나요.."

갑자기 악취가 나기 시작했다. 어두운 숲으로 들어가면
들어갈수록 악취는 더 강해졌다.
“이게 무슨 냄새지..”
카밀라도 코를 막고 주변에 있는 나무들을 뿌리치며
지나갔다.
가면 갈 수록 악취는 심해졌고. 이상한 소리가 들리기
시작했다.
“잠시만.”
카밀라는 나무를 슬쩍 들어 올려 숲 속 안을 처다 보았다.
난 내 두 눈을 의심했다. 사자 호랑이가 나란히..
사람.. 사람의 시신을 물어뜯고 있었다.
“꺄아악!”
나도 모르게 소리를 질러버렸다.
그때 사자 호랑이와 눈이 마주쳤다. 마치 영화의 한 장면
속에 들어온 느낌이랄까 시간이 멈춘 듯 사자와 호랑이는
우리를 노려봤다.
그리고 우리를 향해 달려들기 시작했다. 나는 또 미친
듯이 뛰었다…그 순간 친구들한테 쫓기던 나의 모습이
갑자기 머릿속에 함께 겹처지기 시작했다.

* * *

"헉헉.."

나는 온 몸을 손으로 감싼 채로 큰 나무 뒤로 숨어있었다.

역시나 오늘도 온 몸은 떨리고. 그저 빨리 이 상황이

지나갔으면 한 바람 이였다.

"야! 로사! 어디 있어~"

"너 죽고 싶지 않으면 나와라~"

"그래~ 우리가 착하게 불러 주잖아~"

"하… 제발.. 제발.."

나는 두 손을 꽉 쥐고 작게 속삭였다.

"말 더럽게 안 듣네.."

"야 시간낭비야. 그냥 내일 죽이지 뭐 가자"

"그래."

항상 하루하루가 누구한테 쫓기고 있는 느낌이니까...
하지만 꼭 친구들의 놀림 땜에 힘든 것 만은 아니다. 나 자신 때문에도 그렇다.
“로사야. 야!”
카밀라 아줌마의 외침에 순간 정신이 확 들었다.
이렇게 신나게 달리는 것도 이젠 점점 지쳐간다.
“로사야 너 아까 박쥐도 쫒아냈잖아! 어떻게 했는지 기억 안나?”
“아 몰라요 몰라! 몇 번을 말해요!”
“너 그때처럼 한번 해봐!”
“네? 지금 저보고 죽으란 소리세요?”
“한번 해보라고 될 수도 있잖아! 어차피 이놈들 달리기가 빨라서 금방 따라 잡힌단 말이야. 방법이 없어.”
“아 그게..”
“내가 확신할게. 너 할 수 있어. 해봐!”
카밀라의 용기가 나를 조정했다. 나도 모르게 뛰다가 그 자리에 멈춰 섰다. 솔직히 죽을 거라 생각했다 하지만 카밀라의 말을 믿어 보기로 했다.
내가 해 낼 수 있을까?

나는 그 자리에 가만히 서있었다. 그리고 손을 내밀며

“멈춰!”

라고 소리쳤다.

그러자 우리를 쫓아오던 사자와 호랑이는 나의 앞에서

브레이크를 밟았다. 그러고는 박쥐들과 똑같이 당황

해하며 그 자리를 떠났다.

“와~ 봐.. 된다 했잖아. 너 무슨 초능력이 있는 것

같은데?”

“....뭐지”

잘은 모르겠지만 아주 조금은 알 것 같다.. 설명할 길은

없지만 마음속에서 애틋하고 가련한 사랑… 같은 감정을

느낀 것 같다

이 동물들도 사랑을 받아 본 적이 없구나…

아무도 나를 공격할 수 없다는 거 이제 잘 알겠다. 이젠

동물들의 습격이 아니다.. 나에겐 그냥 등장일 뿐이다.

“이 동물들이 나를 무서워 하는 것 같아요.”

“너 이제 겁먹을 일은 없겠네.”

카밀라는 웃으면서 나를 툭 하고 건드렸다

“그러게요 근데 왜 저만 공격하지 않는 거죠?”
“그건.. 네가 찾아야 할 숙제 인 것 같구나”
“그러니까요….”
왜지..? 왜 나만 공격하지 않은 걸까..? 아무튼 다행이다
점점 희망이 생기는듯하다.
“그래도 우리 많이 왔네..”
“그런 것 같아요 오늘은 또 어떤 동물이 나올까요”
“너 그렇게 방심하고 있지는 마”
“네?”
“항상.. 용기와 희망을 가지고 있으라는 말이야”
“아 갑자기 뭐에요~ 네 그럴게요”
이제는 아무 때나 위로를 해주는 그런 카밀라가 되었나
보다.

-터벅터벅

언제 튀어나올지 모르는 동물들.. 주변을 이리저리
살피며 걷고 있다.

"어? 아줌마! 이 거보세요."

"어?"

"여기 둥지가 있어요 보여요? 여기 안에 세끼들 있는 거 아니에요?"

"뭔 헛소리야.. 어서 가자 시간낭비야."

평소에 궁금한 걸 참을 수 없었기에 둥지 않을 들여다 보았다 .역시 내 예상과는 반대였다
큰 까마귀 가 잠들어 있었으니까.

"아 깜작이야!"

내가 소리를 내자 까마귀는 눈을 떴다 하지만 역시나 까마귀도 나를 공격 할 순 없었다 만약 공격 당했더라면 저 날카롭고 큰 부리에 온 몸이 찔렸을지도 모르겠다.

"에휴 쓸 때 없게 뭐하니 어서 가자 빨리~!"

"하.."

나는 큰 한숨을 내쉬었다
평소엔 까마귀를 좋아했다. 어렸을 땐 멋있고 귀여운 줄만 알았는데.. 저렇게 사나운 동물 일 줄이야..
걸으면 걸을수록 들리는 어느 생명체의 숨소리.. 바로 올빼미였다 이제는 동물들의 갑작스러운 등장에는 크게

놀라지 않는다. 다만 동물들의 이상하고 무서운 생김새에 놀랄 뿐이다..

"아줌마.. 올빼미 크기가 원래 저런가요..?"

"아니.. 여기는 일반 동물들의 생김새와 다 다르지"

거의 냉장고의 반 만한 크기랄까.. 하지만 카밀라도 이제는 별 관심이 없는 듯 했다 나와 함께 있으면 카밀라도 안심할 수 있었다.

"제도 대장 같은 애인가..?"

"그럴 수도 있겠지.. 나도 잘 모르겠다."

카밀라는 귀찮다는 표정을 지으며 말했다. 솔직히 원래의 세상에서는 동물을 많이 좋아했다. 혼자 놀이터에서 외톨이로 지내고 있을 때면 길 고양이나 강아지들이 나를 많이 찾아 와주었다. 그것들이 나의 외로움을 달래주었다. 어렸을 때 동물원 한번 못 가봤는데 여기서 동물들을 많이 관찰하고 새로운 경험을 한 것 같은 기분이 든다. 참.. 어쩌면 인생에서 겪어보는 새로운 경험일지도 모른다.

날 미워했다는 흔적

"너는 너 자신을 사랑하니?"

"모르겠다니까요."

"어?"

"왜요?"

"그렇게 생각하는 이유가 뭔데."

"그냥 그렇게 느껴지니까요."

"그럼.. 동물들은 왜 널 공격하지 않은 이유는 뭐라고 생각하는데?"

"어.. 그건.."

카밀라의 질문 하나하나가 나의 마음을 찔렀다. 나한테 무언 갈 바라는 게 있는 건지 계속 비슷한 질문만 던졌다.

솔직히 나를 좋아하지도 않고 그다지 미워하진… 아니다.. 미워하는 거 같은데 또.. 하.. 모르겠다. 그래서 대답을 할 수 없는 거다.

"널 미워한다는 생각을 하지마. 그럼 되잖아."

"네?"

"로사야…과거의 너의 모습은 끔직하지?"

"그래 보여요?"

"그래 보여."

"어떻게 아세요?"

카밀라는 나의 손을 가리켰다. 난 나의 손을 올려다보았다.

알겠다 내 손을 가리킨 이유를.. 칼자국 때문이다.

"참.. 언제 봤대요 근데 이게 왜요"

"너를 미워했다는 흔적."

"네?"

"너 멍 때리고 있을 때 봤다. 근데 맞잖아 널 미워했다는 흔적 아니야? 발견하고 알았지.. 너 가 과거에 널 진짜 많이 싫어했구나.. 라는 걸

"근데... 지금도 그러니? 과거랑 느낌이 똑같아?"

카밀라 앞에선 무언 갈 숨길 수 있는 게 없었다. 손목에 있는 그 애매하게 보이는 칼자국까지 바로 찾아내다니, 과거엔 칼만 보이면 어디든지 그었다 살짝 그어서 아무도 나의 몸에 있는 자해 자국을 찾을 수 없었다.
아마 카밀라 아줌마가 처음 발견 한 걸지도 모른다.
"그걸 모르겠어요 근데 그게 동물들이 저를 공격하지 않는 거랑 이거랑 무슨 상관이 있나요?"
"내가 과거에 너에게 한말 기억나니?..
그때 과거의 카밀라가 했던 말이 머릿속에서 메아리처럼 생각나기 시작했다 .

"그 동물들을 무찌를 수 있는 건 한가지 밖에 없어. 나 자신을 사랑하는 거지."

왜 생각을 못했을까... 동물들이 나를 공격하지 않은 이유를…
순간 헛웃음이 나왔다. 정말 어이없었다. 내가 나를..
"내가? 나를? 사랑해? 나 스스로를?" 세상에서 제일

어렵다고 생각했던 걸 지금 내가 하고 있다고 생각하니 사실적으론 믿어지질 않았다
“하나 알려줄까? 네가 여기서 나가는 순간 널 미워했던 흔적들은 다 없어질 거야 널 미워했던 마음과 너 자신이 만든 상처 들이 그게 너를 소중히 여겼다는 흔적이 될 거야”
나를 소중히 여겼다는 흔적... 나한텐 그런 게 없다 만들 수 있다면 얼마나 좋을까.
언제든 만들 수 있겠지. 난 여기서 나갈 테니까.

나의 선택

뭐지…… 분명 잠이 들었었는데. 눈을 떴을 때 온통 하얀색뿐인 세상에 와있었다. 정말 당황했지만 어두운 세상에만 있다가 이렇게나 밝은 세상에 오니 뭔가 낯설었다. 내가 혼자 당황해 하고 있을 때 뒤에서 한 음성이 들려왔다.

"네가 어떤 선택을 할지 궁금하구나."

나는 놀란 마음에 뒤를 돌아 보았다. 나의 뒤에선 하얀 치마에 긴 머리를 하고 있는 어느 젊은 여성이 서있었다.
"어.. 누구세요?"
"너를 쭉 지켜보고 있던 사람이지?"

낯 설지만 또 뭔가 익숙한 목소리.. 날 쭉 지켜보고 있던 사람이라..

"저를요? 어.. 근데 여기는 어디.."

"음.. 어딘 것 같니?"

여자는 작은 웃음을 지으며 말했다. 하얀 세상, 넓은 곳, 빛나는 광채, 내가 생각하는 세상이 맞는 것 같다.

"어... 아니 근데 이거… 꿈인가요?"

"아~ 왜? 꿈인 것 같니?"

"아니 어... 대충 생각하면 그래요. 지금 여기가 제가 생각하는 곳이 맞다면 어… 당신이 절 여기로 대려온게 맞겠죠? 아님 저 죽은 건가요? 정확히 왜 지금 이 자리에 있는건지.."

"너한테 할말이 있어서? 아님 그냥 내가.. 데려오고 싶어서겠지?"

내가 이곳에 온 이유가 뭘까... 많이 우울한 상태에서 이곳에 오는 게 사실적으로 가능한 일인가.

"난 널 자랑스럽게 생각해. 너의 그 용기의 힘이 강하게 느껴졌거든? 근데… 너는 여전히 너는 그곳에서 나갈 수 있다고 생각하니?"

항상 여기서 나갈 수 있을 거라고 여기서 꼭 나갈 거라고 믿으면서 여태껏 탈출을 시도해왔는데... 근데 이런 말을 들으니 못나가는 건가라는 생각이 들어 갑자기 심장이 쿵 내려앉았다.

“저는 나갈 수 있다고 항상 생각했는데.. 아닌가요?”
내가 우울한 표정으로 말하자 여자는 나에게 가까이 다가왔다.
“글 쎄? 그건 무엇을 선택하느냐에 따라 다르겠지?”
“네?”
여자는 나의 머리카락을 어루만졌다. 따뜻한 손길.. 너무 나설게 느껴졌다.
“넌 무엇을 선택할거니? 기쁨과 행복 아님 주... 아니지.. 카밀라?”
갑작스러운 카밀라의 등장에 놀랐다. 그게 무슨 말일까.. 갑자기 이 상황에서 카밀라가 등장 한건 왜 일까? 순간 불안해지는 순간 눈앞이 흐려졌다. 그리고 눈이 감기는 순간 들리는 말..

“잘 선택해봐. 너의 선택에 따라 너의 인생도 달라질 태니까 행운을 빌게.”

그리고 다시 눈을 떴을 땐 다시 캄캄한 밤 이였다.

“일어났네. 참 깊게도 잔다.”

나의 앞에 있는 한 사람은 역시나 카밀라 였다.

“아.. 저기.”

“응?”

“우리... 나갈 같이 수 있는 거죠? 그렇죠?”

“그건 갑자기 왜~? 그럼~ 같이 나갈 거야. 그래야지.”

나는 카밀라의 말을 듣고 안심할 수 있었다. 늘 그랬듯 카밀라의 따뜻한 목소리가 나의 차가운 마음을 따뜻하게 어루 만졌다.

꿈속의 그녀

항상 매일 똑같은 밤.` 깊은 잠에 빠져들기 전에 불안한 생각을 떨쳐내려고 했지만 결국 꿈속에서 또 다른 세계에 떨어지고 말았다.
내가 원래 있던 곳과 같은 곳처럼 온통 회색 빛이 도는 세상.. 나는 그곳에서 불확실한 방향으로 나아가고 있었다.
그곳은 알지 못하는 길들이 끝없이 이어졌고 그 길은 마치 나를 시험하듯 계속해서 변해갔다. 난 지금 꿈속에 들어와 있다는 걸 스스로가 알 수 있었다.

.

그때 무수히 많은 문이 서서히 모습을 드러냈다. 각기 다른 크기와 모양의 문들이 일 열로 늘어서 있었고 그 문을 열면 새로운 장면이 펼쳐질 것 같은 느낌 이였다.
“나가는 문은 한 개라 그러지 않았나?”
나는 그 문들 중 한 개를 손으로 툭 쳐 열어보았다. 그 안에는 아무것도 보이지 않았다.. 그저 공허하고 끝없이 어두운 공간이 기다리고 있었다. 그러나 그 어둠 속에서 불길한 기운이 서서히 느껴졌다.
그때 문이 닫히며 기이한 소리가 나기 시작했다.

-끼이이이익

나는 움찔하며 뒤로 물러섰다. 그 순간 뒤에서 누군가가 나의 이름을 불렀다.
“로사...”
나는 고개를 돌렸다.
카밀라... 카밀라였다.
그러나. 카밀라의 모습은 전혀 다른 모습 이였다.
카밀라는 그 동안의 차분한 모습이 아닌 다른 표정을

지으며 서 있었다. 얼굴은 창백하고 눈빛은 흐릿했다.
손은 떨리고 있었고. 몸은 마치 균형을 잃고 기울어 질
것처럼 보였다.
"카밀라..?"
나는 다가가며 물었다. 하지만 카밀라는 말없이 고개를
저었다.
"너.. 여기서 나가면 안돼.."
카밀라는 마지막 말을 던지고 말없이 사라졌다.
그 모습은 마치 미로 속의 한 조각 같았다. 나는 그
자리에서 얼어붙은 채 서 있을 수밖에 없었다.
카밀라가 사라진 그 순간 앞에 놓인 또 다른 문이 열리며
뜨겁고 날카로운 바람이 불어왔다. 바람 속에선 희귀한
소리가 들려왔다.
고통에 찬 목소리 들이 뒤엉켜 들려오는 듯 했다. 나는
그 소리가 들리는 곳으로 달려갔다. 발이 저절로
움직였다 그 길 끝에서... 나는 다시 카밀라를 보았다.
카밀라는 고통스러운 표정으로 앞으로 한 발짝씩 발을
내딛고 있었다. 그 모습은 내게 점점 멀어졌다 나는 숨이
막힐 듯한 기분에 휩싸였다.

"저기 잠깐!"

나는 손을 뻗으며 소리쳤다. 하지만 카밀라는 나의 목소리를 듣지 못한 듯 점점 더 멀어져 갔다. 아무리 달려도 그 거리는 좁혀지지 않았다 점점 더 빨라지는 발걸음... 그리고 카밀라의 표정은 여전히 그 자리를 떠나지 않았다.

"이렇게 될 줄 알았어..."

카밀라는 작은 웃음을 지으며 속삭였다. 그 말을 끝으로 카밀라는 허공 속으로 흩어지며 사라졌다... 나는 무의식적으로 두 눈을 감았다.

그러자 갑자기 주변이 어두워지며 모든 소리가 사라졌다. 그 순간 다시 꿈속의 하늘이 붉게 물들었고 검은 구름들이 모여 들었다. 그리고 그 구름 속에서 한 가지 말소리가 들려왔다.

"나가지 않으면 아무것도 기억하지 못할 것이다."

나는 그 말을 이해할 수 없었다.

그것이 무엇을 의미하는지 왜 그것이 들려오는지에 대해서도 알 수 없었다.. 하지만 한가지 반드시 알 수 있는 것.

"나가야 해."

나는 속으로 중얼거렸다. 그때 검은 안개들이 나에게로 다가왔다. 그리고 그 안개가 서서히 사라졌다.

어두운 세상.. 다시 돌아와 있었다.

분명 내가 꿈을 꾼 거라는 건 확실할 수 있었지만 그냥 넘어갈 수 있는 꿈이 아니 였다. 마치 무언 갈.. 아니.. 미래를 강조하는 그냥 무언 갈 강하게 나에게 강조하는 느낌 이였다.

순간 불안한 마음이 다시 몰려왔다.

많은 생각이 들었다. 그 꿈속에서 무엇을 말하고 싶은 건지 무엇을 나에게 알려주었는지 알 수가 없었다. 마치 미스터리 사건 같았다.

나는 누운 채로 옆에 있는 카밀라를 바라보았다.

“깼니? 잘 잤어? 다시 갈까? 너 힘들어 하길래 재웠더니 살아 났나 보네?”

“괜찮은 거에요?”

“응? 갑자기? 난 괜찮은..”

“거짓말 치지 말고 솔직하게 말해요!”

난 순간 소리를 버럭 질렀다.

“야.. 갑자기 왜...”

“당신 안 괜찮잖아요! 왜 내 꿈속에서 계속… 당신 얘기를 하는 건데요…”

난 카밀라 앞에서 울음이 터져버렸다. 카밀라는 나에게 다가왔다.

“너 많이 힘들어서 그래... 괜찮아.”

카밀라는 나를 꼭 안아주었다. 카밀라의 따뜻한 손길이 나의 답답하고 차가운 마음을 감쌌다.

유령의 유혹

나는 오늘도 불면증 때문에 잠에 쉽게 잠들지 못했다.
항상 겨우겨우 잠이 들곤 했다 오늘도 어김없이 힘겹게
잠이 들었다 그때였다.

"여기까지 오다니. 보통 녀석이 아니네?"

어디선가 들려오는 낫 설은 목소리에 나는 잠이 깼다. 내
옆에 있어야 될 카밀라는 어디에도 없었다 마치 누군가와
이야기를 나누는 듯한 목소리가 들렸다
나는 목소리가 나는 쪽으로 다가갔다 소리가 점점
가까워졌다 카밀라 아줌마였다 나는 바위 뒤에 재빠르게
숨었다 그리고 조심이 바위 밖으로 얼굴을 내밀었다. ..

"너도 너를 잘 알 텐데...?"
"그래 그러니까... 이제 그만해."

내가 헛것을 보고 있는 건가 했다.. 단발머리.. 초등학생 같이 생긴 어린 얼굴.. 유령 같이 온몸이 흐릿하게 생긴 아이가 카밀라의 곁은 맴돌고 있었다. 마치.. 사람을 유혹하는 것처럼 몸을 건드리면서...
"음~ 아니지 네가 너를 잘 알면... 이러면 안 되지~ 지금 너는 말 안 듣는 어린 아이 같다는 거 너도 알지?"

"나도 알아..."
"그니까··· 너도 잘 알잖아. 그분의 말을 어기면 너도 끝이라는 거.. 지금이라도 끝내지 그래? 늦지 않았는데?"
"그럼 저 어린애를 혼자 보내라는 거야? 언제 죽을지도 모르는 곳에서? 넌 모르잖아. 내가 저 아이의 인생을 바꿔주는 만큼 내 인생도 바뀌어. 네가 노릴 만큼 그렇게 만만한 사람 아니야. 그니까 넌 신경 쓰지 말라고."
그러자 유령은 이 한마디를 하고 사라졌다.

"과연 그럴까?"

유령은 소름 돋는 미소를 지으며 사라졌다. 카밀라는 그 자리에 가만히 서있었다. 무언 갈 생각하는 듯한 표정… 상당히 어두운 표정 이였다.
저 유령은 누굴까… 무슨 예길 나누는 걸까. 카밀라와 유령의 대화를 지켜보며 많은 생각이 들었다. 과거의 나를 유혹하고 괴롭히던 사람들이 생각났고 그 유혹에 넘어간 나의 모습이 생각났다.
한참을 생각하고 있을 때 카밀라는 발걸음을 옮기기 시작했다. 나는 재빠르게 원래 잠들어 있던 곳으로 자리를 옮겼다.
바로 고개를 돌려 누웠다 내 뒤쪽에는 스스륵 힘없이 눕는 카밀라의 소리가 들렸다. 나는 잠에 든 척을 하고 있었지만 여러 가지 생각으로 머릿속이 복잡했다.

카밀라와 저 유령이 하는 이야기를 이해하지 못했다.

대체 무슨 이야기를 하는 건지. 또 그 카밀라가 얘기한 어린아이는 나인지… 왜 나에 대해서 이야기를 했는지. 저 유령은 도대체 무엇인지 머릿속에서 많은 것이 복잡한 생각으로 맴돌았다.
도대체 이곳에서 내가 모르는 비밀이 몇 개 가있는 건지. 그저 마음속은 답답함으로 꽉 막힌 기분 이였다.

나갈 수 있을까?

난 걸으며 무뚝뚝한 표정을 하고 있는 카밀라에게 계속 질문을 던졌다.

"아줌마!"

하지만 카밀라는 아무런 대답이 없었다. 그저 무표정으로 계속 걷고 있을 뿐 이였다.

그때 카밀라가 그 자리에 멈춰 섰다. 순간 갑작스러운 오싹함이 몰려들어왔다.

"뭐에요 갑자기..."

그때 카밀라는 고개를 내 쪽으로 돌리고 인상을 쓴 표정으로 나를 바라보았다.

"야."

날카로운 카밀라의 말투에 순간 놀랐다.

내가 무슨 잘못이라도 했나. 라는 생각이 들었다.
“여기서 나가면 정말 모든 게 달라질까?”
카밀라의 표정은 알 수 없이 굳어 있었다. 그런 모습에 뭔가 이상하다는 걸 눈치 채고 있었다.
“아니 생각해보니까 여기까지 온 게... 아무 의미가 없는 거 같아서.”
“정확히 무슨 말이에요?”
나는 아무렇지 않게 애써 웃어 보였다.
“왜? 내 말 이해 못하겠어? 쉽게 말해줄까? 아무튼... 어린 것은 잘 못 알아 듣는다니까...”
카밀라는 한참을 망설이다 말을 꺼냈다.
“그만하자.”
“아... 아니 갑자기 왜 그래요 장난이죠?”
나는 헛웃음을 지으며 말했다. 솔직히 말하면 장난으로 받아드리지 못했다. 아직도 카밀라의 한마디 한마디는 기억이 생생하다.
“언제까지 장난이라 생각할건데?”
“아니... 이제 와서 포기 하겠다는 게 말이 되요?”
카밀라는 피식 웃었다...

"아... 그래? 그럼 좀 일찍 포기하자고 했어야 했나?"
내가 알고 있는 평소의 카밀라의 모습이 아니 였다.
마치 누군가에게 시달리고 있는 것 같고 암흑에 씌어진
듯 했다.
"우리... 같이 나가기로 했잖아요 그리고 우리 많이
왔는데 왜 갑자기 그래요?"
"많이 왔다고 생각해.. 내가 알려줄까? 우리 아직 반도
안 왔어. 그리고 생각해보니까 우리가 과연 여기서 나갈
수 있을까? 아니 그것보다 왜 우리는 여기서…."
카밀라는 말을 잠시 멈추고 한숨을 내쉬었다
"아니다....."
카밀라는 나의 눈을 피했다. 마치 내 모습이 변한 것처럼.
그래서 보기 싫은 것처럼 말이다. 그리고 눈빛이 바뀌고
나를 보며 날카로운 말투로 다시 말했다.
"그리고 내가 포기하는 게 너하고 뭔 상관인데? 정 가고
싶으면 너 혼자 가든가 난 모르겠다 이제..."
카밀라는 나를 돌아섰다. 나는 그런 카밀라의 손목을
잡았다 내 눈에는 눈물이 잔뜩 고여 있었다.

"갑자기 왜 그래요? 제... 제가 뭐 잘못했나요? 아이 그럼 죄송해요. 이제 제가 장난 절 때 안치고 진지하게..."

"조용히 해."

카밀라의 한마디는 또 한번 나의 말문을 막히게 했다. 그 말투는 나의 마음을 베이는 듯 했다.

"정 가고 싶으면 가는 길만 알려줄게. 이제부터는 여기서 쭉 걸어가면 돼.. 그러다가 많은 나무들을 만나면 문이 있을 거야. 잘 해봐..."

그렇게 카밀라 내 앞에서 서서히 사라졌다.

나는 바닥에 주저앉았다. 많은 감정들이 들면서 눈물이 왈칵 쏟아졌다.

그렇게 나는 한참을 주저앉아 울었다. 카밀라가 대체 갑자기 왜 저러는지 알 수 없었다...

"나 이제 어떡하라고...."

나는 검은 바닥에 눈물을 뚝뚝 흘렸다. 많은 생각이 들었다. 정말 카밀라가 그 유령에 유혹에 넘어간 걸까..? 아님 내가본 미래가 정말 이 상황일까?

그때 꿈속의 카밀라는 오늘처럼 나에게서 멀어져만 갔다 이 순간이 마치 꿈속의 미래 같았다.

내가 한참을 주저앉아 눈물을 뚝뚝 흘리고 있을 무렵 카밀라가 사라진 쪽에서 알 수 없는 부스럭 소리가 나기 시작했다. 나는 공포에 휩싸였다. 항상 옆에 있던 카밀라가 사라지니 혼자가 되어 더 공포감이 느껴졌다.

-부스럭... 부스럭

마치 공포영화의 한 장면에 빠진 기분이었다. 그렇게 나는 흔들리는 잔디 쪽을 바라보았다. 마치... 무언가 튀어나올 듯한 느낌 이였다.

"뭐지...?"

나는 여전히 소리가 나는 쪽을 가만히 들여다보았다. 서서히 느껴지는 기척.

-확!!

"꺄아악!!!"

나는 소리를 지르며 그 자리에서 벌떡 일어났다. 그 다음... 눈앞은 어두워 졌다...

* * *

나는 스르르 눈을 떴다 알 수 없는 곳. 나는 상황을 살피려 몸을 움직였다. 하지만 움직여지지 않았다.
나뭇가지에 온몸이 휑휑 감싸져 있는 상태였다. 나는 이 상황이 무슨 상황인지 알 것 같았다. 나도 결국엔 잡혔고 곧 죽을 상황 이라는걸.
나는 헛웃음을 지었다. 그리곤 눈물을 흘렸다.
나의 운명을 서서히 받아들였다 그리고 그 동안의 나를 생각했다.
그렇게 나는 어두운 밤 속에서 눈물을 흘리며 혼자 외롭게 서서히 지쳐만 갔다. 과거의 그랬던 것처럼...

돌아온 그녀

"미안해..."

어디선가 들려오는 목소리... 환청 같이 느껴졌다. 나는 축 쳐져 있던 고개를 천천히 들었다. 하지만 역시나 아무도 없었다. 그저 나는 서서히 죽음에 가까워질 뿐이였다.

"로사야."

이상하다.왜 목소리가 계속 들리는 걸까...
하지만 내 주변엔 아무도 없었다. 죽음을 받아들이려고 눈을 감으면 그 목소리 때문에 깨어났다.

항상 무언 갈 할 때마다. 내 마음대로 되지 않아 짜증이 났다. 시간이 지날수록 내 몸은 점점 지쳐만 갔다.
“그래... 끝내자.” 라고 생각하고 눈을 질끈 감았다...

“로사야. 야 로사블랑카!”
누군가 작은 목소리로 속삭였다. 꿈이 아니었다. 나는 그 목소리에 한번 더 눈을 떴다.
카밀라가 내 앞에 서있었다.
“아 깜작!...”
“쉿!”
카밀라는 내 입을 막았다. 나는 그제서야 정신을 차렸다
“조용이 해? 야 동물들이 또 쫓아오면 어쩌려고.”
순간 어리둥절했다. 왜 카밀라 아줌마가 나에게 생각을 바꾸고 돌아온 걸까.
“뭐에요?”
“로사야 그게...”
“저 당신 때문에 죽게 생겼다고요!”
카밀라는 나를 빤히 쳐다보았다. 그리곤 말했다.
“난... 네가 정말 강한 애 인줄 알았어.”

"네?"

"어떤 것들이 너를 방해하든 힘들고 슬프든 너와 나 처음 만났을 때 그 모습을 계속 유지 할 줄 알았어. 근데 결국 이렇게 잡혔네"

나는 카밀라 앞에서 눈물을 흘렸다. 정말 억울한 마음밖에 없었다.

"어떡해요 뭐... 저 죽는 거죠 뭐... 다 끝난 거라고 생각하면 되요."

나는 애써 웃어 보였다.

"너 말이야 내가 네 곁을 떠나서 그 슬픔 땜에 잡힌 거야? 아님... 그냥 원래부터 마음속에 간직하고 있던 슬픔을 못 이겨서 그런 거야?"

카밀라 아줌마가 내 곁에 없다는 슬픔과 내 자신이 품고 있던 그 슬픔... 두 괴로움이 합쳐 슬픔을 이기지 못한 건 아닐까.

"둘 다요?"

"둘 다?"

"네 근데 그것보다 궁금한 게 왜 절 두고 갔어요? 갑자기 생각이 바뀐 이유는 뭐고 왜 또 저한테 다시 찾아온 거에요?"

"그거는..."

카밀라는 잠시 머뭇거렸다. 그리고 표정이 바뀌면서 다시 나에게 말을 걸었다.

"나중에 알려줄게... 아무튼 미안하다."

"저 어차피 죽게 생겼어요. 아줌마는 다시 돌아가던가 혼자 가던가 알아서 하세요."

카밀라는 나를 가만히 쳐다보곤 내 옆에 앉았다.

"뭐에요. 왜 죽을 사람 옆에 앉아 있어요."

"내 생각엔 말이야 너 나올 수 있을 것 같아."

카밀라의 말에 나는 어이없는 웃음을 지으며 말했다.

"나갈 수 있다고요? 참나 지금 여기에서 죽는 사람들 무시하는 거에요!?"

"아니 그게...."

"맞잖아요 아줌마 말처럼 그렇게 쉽게 나갈 수 있는 거면 누가 여기서 죽었겠어요?"

나는 카밀라에게 소리를 질렀다. 하지만 카밀라는 그저 입 꼬리만 올라가 있을 뿐이었다.

"바보 같은.."

"뭐요?"

"잘 생각해봐. 그럼 너는 지금 왜 죽지 않는 건데?"

"그거야.... 어?"

생각해보니 그렇다. 나는 지금 너무 오랫동안 죽지 않고 그리고 미동도 없고 묶여만 있었다. 어쩌면 처음부터 잡히지 않았던 것이 지금 상황에 영향을 끼칠지도 모른다는 생각을 했다.

"그러면. 나갈 수 있는 거에요?"

"아마도?"

카밀라는 고개를 까딱 하면서 말했다. 처음에는 카밀라의 이런 모습이 짜증났다 마치 나를 시험하듯이 느껴졌다. 사람을 버리고 도망가고 그리고 죽을 위기에 처해서 다시 돌아왔다는 게 정말 어이가 없었다.

"내가 시키는 대로 잘만하면 풀어질걸...?"

"뭐에요 왜 계속 애매하게 답 하는데요"

왜 다시 생각이 바뀌고 돌아왔는지는 모르겠지만 지금은 조금이나마 카밀라의 도움을 받고 싶었다.

"카밀라는 나에게 가까이 다가왔다. 그러고는 나에게 말을 건 냈다.

"예전의 너처럼 한번 긍정적이게 생각해보는 건 어때? 그니까 너는 여기서 나갈 수 있다 그리고 카밀라는 나에게 돌아왔다. 이런 느낌으로?그러면서 너 자신을 슬슬 받아들여봐."

카밀라의 말을 처음부터 이해하기 어려웠지만 이미 카밀라가 돌아와 기분이 나아진 건 사실이었다. 그렇게 나는 카밀라의 말을 점점 이해했다. 그러니까 한마디로는.... 나 자신을 받아들이란 의미 아닌가...?

"미안해..."

아까의 그 목소리 같았다.

내면의 목소리…

나한테만 들리는... 내가 나 자신한테 하는 그 목소리 나도 내면의 나를 향해 작게 속삭였다.

"괜찮아."
그러자 나를 감싸고 있던 나무들은 스스륵 내 몸에서 벗어났다 . 나도 신기해했지만. 카밀라도 무척 신기한 표정으로 나를 쳐다보았다.
"신기하네. 이런 광경은 처음 봐... 맨날 죽는 사람들만 보다가."
"아..."
"아무튼 봐 내 말이 맞지?"
"그러네요."
"저기 사실... 우리 아직 반도 오지 않았다고 한 거. 거짓말 이였어. 이제 거의 다 왔어 조금만 더 힘내면 되."
나는 웃으면서 고맙다는 말을 전했다.
생각해보니까 나 자신을 사랑하는 게 생각보다 쉬울 거라는 생각을 해봤다.
아직까진 나를 진정으로 많이 사랑한다는 기분은 들지 않지만. 그럼에도 불구하고 조금씩 이라도 나에게 따뜻한 시선을 보내며 나를 이해하려고 노력하는 것이 그 시작일지도 모른다.

완벽한 사랑을 느끼지 못한다고 해서 그 사랑이 없다는 건 아니니까. 언젠가 나 자신을 온전히 받아들이고 사랑할 수 있을 그 순간을 기다려 본다.

어느 남자 아이의 미스터리

"지금 생각해도 이상하다니까."
"뭐가요?"
"아 들려줄까?"
평소대로 주변을 의식하며 걷던 중 카밀라 의 이야기가 시작되었다.

"내가 그때도 쓸쓸한 마음으로 어두운 밖을 쳐다 보고 있을 때였어. 근데 갑자기 어떤 어려 보이는 남자아이 한 명이 눈에 보이더라. 순간 놀랬지.
그 아이는 창백한 얼굴에 금방이라도 울음이 터져 나올 듯한 표정을 하고 있었어. 순간 소름이 돋았지
그때 그 아이가 나를 바라보곤 막 울기 시작하는 거야

그러더니 갑자기 웃고 또 갑자기 울었어…어린애가
저러니까 마음이 아프면서 한 편으로는 소름이 쫙 돋아서
그 자리에 얼어 붙어 있었는데.
그 아이가 갑자기 입을 뻐끔거리는 거야. 마치 무언 갈
말하듯이.. 나를 보면서 나는 안에 있어서 들을 순
없었지.
나는 그때 늘 그랬듯이 우울증 걸린 어린 애가 이곳에 온
줄 알았어.
그래서 곳 죽겠구나 라고 생각했는데. 뭔가 이상한 거야.
분명 그 아이는 내 눈 앞에서 갑자기 귀신처럼 스스륵
나타났어.
그게 불가능 했는데.. 그리고 나이가 너무 어렸어..
초등학생도 안돼 보였어. 그래서 이상하게 그 아이랑 몇
분 동안 눈이 마주친 채로 서로를 쳐다봤지.
그리고 오랜 지간이 지나고.. 그 아이는 나에게 환한
미소를 보이더니 또 스스륵 사라졌어... 그때를 생각하면
내가 헛것을 본건가 싶어."

“흠.. 소름이네요 와 듣기만 해도 무서운데.. 어떻게 그 아이랑 눈을 마주치고 있었어요?”

“그냥 좀 불쌍해서.. 너무 외로워 보였거든”

카밀라의 따뜻한 마음이 더 느껴지는 그런 이야기 인 것 같았다.

근데 정말 궁금한 게 그 남자 아이는 왜 이유 없이 나타난 걸까 왜 카밀라를 그렇게 쳐다보고 간 걸까?

그리고.. 그 아이의 정체는 뭘까?

그날의 기억

이곳에 처음 빠지기 전 당일 8월9일.. 나의 생일 전 날.
이였다. 기억난다. 방에서 울고 있었던 나의 모습이.
그날은 엄마와 크게 싸운 날 이였다. 그날을 다시 되돌아
본다.

* * *

“너 그거 사춘기여서 그런다니까! 자꾸 반말 할래?”
“난 그런 거 아니라고! 알지도 못하면서 왜 그러는데
진짜!”

"야! 너 맞을래? 어디 엄마한테 소리를 질러 어!? 뭐
너만 우울해? 엄마도 힘들어 근데 너까지 신경 써야
되니!?"
"그만!!"

-쾅

"야! 너 당장 안 나와? 누가 엄마 앞에서 소리를 그렇게
질러대? 어? 당장 나와 나오라고!"
"하.."

* * *

그날은 내 인생 최대로 크게 소리를 지른 날 이였다.
방 문 앞에 주저앉아서 울고 있을 때. 그때가 내가 이
세상에 오기 전 마지막 모습 이였다. 나는 울면서 책상에

앉아 있었다. 그리곤 메모지를 꺼내 눈물을 뚝뚝 흘리며 글을 썼다.

8월9일 오늘도 인생 최악의 날.
오늘도 나의 하루는 아무것도 바뀌지 않은 채 지나가고 있다.
사람들은 다들 바쁘고 웃고 떠들고 있을 시간에 나는 그저 그 속에 묻혀 있는 기분이다.
나만 혼자라는 느낌?
내가 이런 생각을 한다고 다른 사람들은 뭐라 할까?
"그냥 힘내."
"조금만 더 버텨봐."
"세상엔 좋은 일이 많이 있어."
그렇게 말할 사람은 많겠지. 그런데 그 말들이 나를 더 괴롭히는 건 왜일까?
나도 안다. 내가 얼마나 멀리 떨어져 있는지. 내 마음이 얼마나 고립되어있는지. 그럼에도 불구하고 아무도 손을 내밀어 주지 못한다는 걸..
왜 세상이 이렇게 차갑고 거칠게만 느껴질까... 어디에도 내가 편안히 쉴 곳이 없어 주변은 시끄럽고 사람들은 나의 존재조차 관심 없어 한다.

다들 나를 외면하고 나는 그저 흘러가는 시간을 따라가고 있을 뿐… 이건 내 잘못이 아니라고. 그렇게 말할 수도 있겠지만. 그럼에도 나는 점점 더 미쳐가고 있다. 나를 이렇게 만든 것 바로 나 자신이 아닐까.....
그러니까 미운 거야. 그러니까 로사 너 가 세상에서 제일 싫은 거라고. 내가 준 벌로는 부족하다고 느껴 세상을 미워하고 비판하기보단 나를 비판해.
나 때문이니까 아니 그냥 다 전부 다! 나 때문 이라고 느껴. 미치겠어. 내가 너무 미워서 스스로 죽이고 싶을 정도로 미우니까.... 내가 나를 구해줄 수 있었으면 좋겠다.
누가 좀 그걸 알려줘...
나를 구해주는 법. 사랑하는 법. 아님 누가 나 좀 꺼내줘.
아니 살려줘. 제발...

눈물에 잔뜩 젖어있는 메모지.. 나는 글을 쓰고 스르르 눈을 감았다.
그땐 몰랐었다. 이것이 모든 것의 시작이라는 걸.

죽은 나에게

너는 나일까. 아니면 이미 죽은 나일까?

내가 나에게 편지를 쓰는 이유는 알겠지? 너 가 여기서

나가지 못했을 때 내가 너에게 줄 수 있는 편지..

나는 지금 멀쩡히 살아있지만 사실 이미 나를 잃은 것

같은 기분이야. 아직 살아있다는 사실을 느끼며 숨을

쉬고 있지만 그저 살아있는 것 같을 뿐이지.

나는 너를 잃어버린 것 같아 나를 너는 아마 멀리 떠났을

지도 몰라.

그날 내가 정말로 죽었을지도 모르겠다.

세상은 여전히 돌아가지만 나는 그 속에 없다는 느낌.

나는 나를 죽였고. 나는 너를 이렇게 만들었어.

그 후로도 아무것도 아닌 사람이 되어버린 것 같아. 혹시라도 내가 다시 나를 찾을 수 있을까? 하지만 내가 다시 살아나기엔 이미 너무 늦은 거 아닐까 라는 생각을 해. 어쩌면 나를 잃어버린 것도 내 잘못 일지도 몰라. 나를 잘 돌보지 않았고, 결국 그렇게 나를 놓쳐버린 거니까. 다시 예전 어릴 때로 돌아간다면 정말 좋겠다. 나를 다시 잡을 수 있는 기회 일지도 모르니까.
미안하다... 내가 너를 지켜주지 못했어..
그래도 혹시라도... 네가 내 안에 아직 남아있다면 그걸 찾아낼 수 있길 바란다.

로사가 죽은 로사에게...

살아있는 나에게

지금 네가 여기 있다는 건 그저 우연이 아니야.
아무리 힘들어도 여전히 살아 있다는 사실은 그만큼 네가
강하다는 증거 일지도 모르겠지… 하지만 그게 전부가
아니야. 이제 너에게 필요한 건 변화야. 모든 게 전부 다
끝났다고 생각하면 안돼. 이 지옥은 언제든 다시 찾아올
수 있어. 계속 너의 곁에 붙어 다니 는 재앙일 뿐 이니까.
이제 네가 깨달아야 할 건 그 강함 만으로는 모든 것을
견딜 수 없다는 거야. 그 모든 고통이 끝이 아니었듯이
이 순간도 끝이 아니라는 걸 알아줘. 이제는 스스로를
놔주고 자유롭게 살아. 그늘 속에만 있지 말고 따뜻한
햇살로 나와. 살았으면 살았다는 증거를 내게 보여줘.

로사야. 나를 꼭 껴안아 주면 안돼? 살면서 자신과 포옹 한번 안 해보고 괴롭지 않았니?
아무도 안아주지 안는다면… 너 스스로 너를 안아줘.
그리고 말해.
사랑한다고... 미안하다고.. 잘 견뎌줘서 고맙다고 말이야.
그리고 울어. 이제 슬픔의 눈물을 흘리지 말고 기쁨의 눈물을 흘리며 살아 그냥 아무것도 생각하지마..
이제 괜찮으니까 신경 쓰지마. 아무도 네 인생을 바꿀 수 없다는 걸 알잖아. 로사 너 가 너 자신의 인생을 바꾸며 살아. 그리고 정말 고마워. 그때도 잘 부탁해 이젠 평범하게 살자 우리 같이. 그 어떤 상처도 이겨내면서.
결국은 네가 또 다른 날을 맞이할 수 있게 만들어주는 힘이 된다는 걸 이해하게 될 거야. 또 어떤 어려움이 닥쳐도 너는 반드시 이겨낼 거야. 다시 일어나면 되는 걸 알잖아. 너의 이야기는 아직 끝나지 않았고 그 끝은 너의 손에 달려있어. 새로운 나 새로운 네가 되어 그 끝을 맞이하길 진심으로 바란다.

로사가 살아있는 로사에게…

밤의 끝에서

벌써 여기까지 온지 몇 달은 지났을 거다.

모르겠다. 이곳에서는 시간을 알 수 없었으니까.

이곳에 오래 있으니 나의 밝았던 모습도 점점 어두워져만 갔다.

카밀라와 나는 어두운 길을 다시 걷고 있었다.

찬바람이 계속 불어오는 추운 날 이였다.

여기까지 오면서도 많은 사람들의 죽음을 보았다.

처음에는 볼 때마다 눈을 가리고 무서웠지만 지금은 보면 불쌍하고 슬프고 안쓰러운 마음뿐 이다. 여기까지 오면서 많은 어려움을 겪었다.

무서운 괴물에게도 쫓기고 끔직한 환상도 보고 많은 사람들의 죽음을 보고 우울함을 느꼈다.

이젠 정말 끝내고 싶다.
여기서 나가 자유로워져서 나의 답답했던 마음을
사람들에게 다 자신이게 털어놓는 그런 사람이 될 수
있었으면 좋겠다는 바람뿐이다.

".. 저기 로사야"
"네?"
"넌 여기서 나가면 어떻게 살 거야?"
"음.. 모르겠어요 근데 그 전과의 인생과는 다르지
않을까요..?"
"그래 그랬으면 좋겠네."
"네 그럴 거에요"
대화를 이어가던 그때. 카밀라가 멈춰 섰다. 카밀라는
주변을 둘러보더니 쪼구려 앉아 손으로 땅에 있는 검은색
모래를 만져댔다.
"이제 다 왔다…"
그때 붉은색 빛이 우릴 가로막았다. 빨간 피가 섞인 듯한
붉은색 빛 이였다. 그리고 그 붉은 빛은 우리의 뒤를
비추었다. 카밀라의 눈빛은 뭔 갈 아는듯한 눈빛 이였다.

“저게 뭐에요..?”
내가 당황해 할 때 뒤에선 알 수 없는 부스럭 소리와
살아 숨쉬는 생명체의 숨소리가 들렸다.
난 순간 알아챘다. 우리의 뒤에서는 이 세상에 있는 모든
생명체들이 우리를 노리고 있다는 것을.
무시무시한 살기였다.
소름이 돋아 아무것도 할 수 없었을 그때 카밀라
아줌마는 나의 손을 잡았다.
“뭐해 빨리 뛰어!”
우리는 미친 듯이 달렸다. 달리면 달릴수록 더 깊은 산
속으로 들어가는 느낌 이였고 많은 나무들이 우리의 앞을
막기 시작했다.
우리는 나무들을 뿌리치고 해치며 지나갔다.

문을 발견할 수 있을까.. 라는 기대와 함께 너무 긴장한
마음에 나뭇가지에 온몸이 할퀴어도 모를 정도였다.
그렇게 두려움에 떨며 한참을 달렸다.
뛰면서 뒤를 돌아본 순간 무서운 동물들과 끔직한
나뭇가지들이 더 끔직한 모습으로 우리를 죽일 듯이

쫓아오고 있었고 움직이는

올빼미 ,뱀 ,늑대 ,호랑이 ,사자, 까마귀 등도 우리가 아는

모습과는 완전 다른 모습으로 사나운 이빨을 들어내며

우리를 쫓아오는 중이었다.

이상하다. 여태껏 나를 해치지 않던 동물들이 나를

쫓아온다.

동물들과 나무들이 뭔가 다른 최면에 걸린 듯한

느낌이었다. 길은 점점 높아지고 있었다 마치 하늘 위로

올라가는 것처럼. 그렇게 앞에 있는 나무의 잎사귀를

마지막으로 뿌리쳤을 때 우리의 앞에는 굳게 잠겨 있는

검은 문이 우뚝 서 있었다.

"저 문이야!"

"어서 가요!"

그때 뒤에서 바짝 따라오던 나뭇가지 하나가 순식간에 내

발목을 낚아 채려 다가오고 있었다.

눈 앞의 검은 문에 감격스런 나머지 세상의 모든

생명체들이 나를 따라온다는 것을 깜박 잊었다.

"안돼!"

그때 카밀라는 나를 밀쳐냈다. 그러자 나무들은 카밀라의 발을 감싸고 끌어 당겼다.

“으아악!”

카밀라의 비명 이였다.

“카밀라!”

나는 너무 놀라 카밀라의 이름을 불렀다. 그리고 그 순간 엄청 크고 무서운 목소리가 울렸다.

“네가 나를 배신했구나!”

겨우겨우 땅을 붙잡으며 버티는 카밀라에게 말하는 소리였다.. 카밀라가 처음부터 말했던 그 놈 이었다.

그 놈의 말에 땅은 심하게 흔들렸고 나도 중심을 잃은 채 뒤뚱 거렸다.

이대로 주저 앉을 순 없었다. 눈 앞엔 그토록 그리던 검은 문이 있었다.

나는 마지막으로 힘을 내어 검은 문 앞으로 다가섰다.

하지만 카밀라를 놔 두고 혼자 나갈 순 없었다.

나는 다시 몸을 돌려 카밀라의 손을 잡았다 그리곤 힘껏 내 쪽으로 끌어 당겼다. 하지만 나뭇가지의 힘은 내 힘보다 강했다. 나는 강하게 저항했다. 젖 먹던 힘까지 다해서 카밀라를 어둠 속으로 떨어 지지 못 하도록 막았다. 하지만 나와 카밀라는 점점 깊은 어둠 속으로 빨려 들어가고 있었다.

그때 카밀라가 나를 향해 소리쳤다.

"로사야! 지금 문을 열 수 있는 사람은 너 밖에 없어!"

"안돼요! 우리 같이 가기로 했잖아요!"

"시간이 없다고! 탈출의 열쇠는 단순히 외부의 힘으로 얻는 게 아니야. 오직… 자신을 용서하고, 내면의 어둠과 화해하는 과정에서만 얻을 수 있는 거야. 네가 진정으로 자신을 사랑하고 받아들일 때 그 비소로 문이 열리게 되. 저 녀석 들이 너를 쫓아오는 이유도 그거야! 너 가 지금 불안한 감정에 머물러 있어서 그런 거란 말이야!"

카밀라의 몸이 흙 투성 이가 될 때까지 질질 끌려가고 있었다.

나는 카밀라의 손을 잡고 끝까지 버티며 말했다.

“그게 무슨소리에요! 나는 그..그걸 어떻게 하는지 몰라요!”

“나도 알아 로사야!.. 그게 진짜 어렵다는 거!..

“아는데.. 너 나 처음 봤을 때 그랬잖아! 희망이 생겼다고 항상 여기서 나갈 수 있다고.. 긍정적으로 이 비참한 세상에서도 잘 버텨왔잖아! 그리고 또 너는 너를 사랑한 적이 있잖아!”

카밀라는 온 힘을 다해 나에게 소리쳤다. 그런 카밀라의 외침에도 난 문과 카밀라 앞에서 한참을 망설이고 있었다. 왜 이 문 앞에서는 이전에 나를 조금이나마 믿었던 기억들이 떠오르지 않는 걸까.

`

시간은 나를 기다려 주지 않았다. 내가 주저 하는 사이에도 사나운 짐승들이 이빨을 드러내며 우리에게 빠르게 달려왔다”

“로사야 제발!”

눈물이 고인 카밀라의 눈을 보며 나는 뒤를 돌아봤다 두어 발짝 앞에 굳게 닫힌 검은 문이 보였다 카밀라는 강하게 나의 손을 뿌리치고 검은 문 쪽으로 나를 밀어냈다.
순식간에 벌어진 일이라 어찌 손을 써 볼 틈도 없었다

나는 문 꼬리를 잡았다.
그리고 생각했다. 아니... 저절로 떠올랐다.

* * *

"미친놈 푸하핫!"

"거지!"

"부모님도 이혼했다며! 푸핫!"

"개찐따 주제."

"인생이 왜 그따구야?"

"세상은 널 좋아하지 않아."

"공부 좀 하고 살아 멍청아."

"너 땜에 다 망했어!!"

"너 땜에 엄마가 진짜 못살겠다.. 하,,"

"그냥 포기해 죽고 싶으면 죽으라고!"

"그냥 넌 뒤져.. 그게 답이야.."

잘 살 수 있잖아. 나를 사랑하며 살 수 있잖아.. 세상을 이겨내며 살 수 있잖아.

그래도 어느 날 문득 깨닫겠지... 내가 나를 용서 할 수 있다면 그때는 조금 더 행복할 수 있을 거라는걸 아니까. 지금은 끝내고 싶어… 여기서 나갈래. 이젠 자유롭게 살 거야 아무도 신경 쓰지 않고 나만 생각하면서 날 이제 좀 나둬 자유롭게 살 수 있게..

* * *

많은걸 생각해야 했다. 그리곤 소리쳤다.

"제발 열어줘 내 안의 로사야.. 나 나가고 싶어 날 사랑하고 싶어.. 이제 끝낼래 제발 너무 지긋지긋해 제발!!"

나는 문 앞으로 다가가 문 꼬리를 돌렸다.

그러자 문이 열리고 어두웠던 문이 파란색 빛으로 밝게 빛났다.

"대박.. 됐어요! 이제 우리 나갈..!"

기쁨의 목소리도 잠시..

순간 나의 앞에는 죽어가는 카밀라의 모습과 끔직한 생물들이 나에게로 달려오는 모습이 보였다.

"안돼... 안돼!"

참을 수 없었다. 카밀라를 구하고 싶다는 생각밖에 없었으니까. 하지만 구할 수 없었다. 다시 한번 카밀라에게 가까이 다가가 손을 뻗는 순간 카밀라는 나를 문 쪽으로 밀쳐냈다..

환하게 웃는 카밀라의 얼굴을 뒤로한 채 나의 몸이 문 속으로 서서히 빨려 들어갔다. 나의 눈 속에는 서서히 죽어가는 카밀라의 모습이 눈에 비추고 있었다.

다시 돌아오다

"어? 로사야! 정신이 드니?"
눈을 떴을 때 나는 병원에 와 있었다. 그것도 정신 병원이라는 곳…
사방을 둘러보니 나의 양 옆에는 많은 기계들이 놓여 있었다. 내가 얼마나 오래 잠들어 있었는지 대략 짐작 할 수 있었다.
내가 깨어났다는 소식을 듣고 의사선생님과 많은 간호사 선생님들이 내가 누워있는 병실로 뛰어왔다. 엄마는 나를 앉고 울었다."미안해"를 수백 번 반복 하면서...

"정신이 드니? 식물인간 상태 였는데 깨어 나다니… 이건 기적이다."

의사 선생님은 나에게 가까이 다가와 말을 걸었다.
"로사 너. 네가 심각한 우울증 이라는 거 알고 있었니?"
"네?"
"선생님 말대로 너는 심각한 우울증 앓고 있었단다.
선생님이 알아보니까 네가 쓰러지기 전부터 우울증
이였는데 그것 때문에 뇌에 충격이 가서 이 년 가까이
일어나지 못했어. 이제 좀 괜찮니?"
2년 이라니. 내가 정말 오래 그곳에 있었구나.
처음엔 너무 놀라 할 수 있는 말이 "네" 뿐이였다.
"네."
"다행이네 그럼 검사를 좀 받고 갈까? 의사 선생님이랑
상담 좀 해볼래?"
"…네."
너무나도 멀쩡해진 나를 보곤 의사 선생님도 놀랐다.
이런 경우는 정말 보기 드문 경우라서 조금 더 병원에서
정밀 검사를 받아 봐야 한다고 했지만 병원이 너무
갑갑한 나는 엄마를 설득해 퇴원 후 통원치료를 받기로
했다.
상담을 마치고 퇴원 수속을 하고 바로 집으로 돌아왔다.

하지만 마음속에는 온통 한 사람 생각 뿐이었다.

"카밀라..."

"응? 로사야 누구?"

"카밀라...."

나는 내 방으로 들어가 펑펑 울었다.

현실을 받아들일 수 없었다 엄마는 그런 나를 꼭 안아주며 말했다.

"우리 로사. 많이 힘들었구나... 엄마가 정말 미안해.. 엄마는 나쁜 엄마야..."

처음에는 카밀라의 죽음에 큰 충격을 받고 많은 죄책감이 들었다.

내가 카밀라를 구하지 못할 것 같다고 생각했다.

카밀라 아줌마는 끝까지 나를 지켜줬다.

아줌마는 나 같은 어린 나이에 미래를 빼앗기고 쓸쓸하게 살아왔고 결국 억울하게 죽었다. 나를 지키려다가...

그 동안 많은 생각을 했다. 내가 나를 정말 사랑하게 된 건지 다시 한번 진지하게 생각하게 되었고 엄마와 많은 상담을 하며 어려움을 이겨내며 지냈다.

처음에는 충격적인 마음에 당분간 카밀라 아줌마는 잊고 살아야 한다고 생각했다.

하지만 잘못된 생각 이였을까...

카밀라를 잊을 수 없게 하는 것이 하나 있었다.

카밀라의 마지막 편지

로사,

언제나 내가 고요한 바다처럼 너에게 밀려오는 파도 같았다면 지금은 내가 너에게 남겨놓은 고요한 물결에 남겨진 마지막 흔적 일지도 몰라.

나는 오래도록 너를 사랑했고 그 사랑이 얼마나 깊은지 표현할 방법을 찾을 수 없었어.

너를 처음 만났을 때부터 알아봤어.

넌 이 비참한 곳에서 나갈 수 있다는 걸..

처음엔 너를 안 믿었어 그리고 무서웠어..

결국 나는 죽게 되니까..그게 내 운명이니까..

유령이 내게 말해줬어 너를 구하려면 나를 희생해야만 한다고 그럴 수 있냐고..

이 지긋지긋한 곳에서 더 이상 이렇게 지내고 싶지
않았고 마지막이라도.. 죽는 날 에라도 한번 멋있어
보자고 생각했어.
난 너의 용기를 믿었단다 항상 말로는 부족했지만 내
마음에 깊은 곳에서 너를 향한 감정은 변하지 않았어.
내가 떠나야 하는 이유가 무엇이든 내가 이세상을 떠날
때 마지막으로 너에게 전하고 싶은 것은
네가 내 삶에 있었기에 내가 조금 더 나은 사람이
되었다는 거야.
너는 나의 어두운 시간을 빛으로 감싸줬고 내 눈물은
너의 미소로 씻겨갔어.
그런 너에게 내가 얼마나 고마운지 그 고마움이 너에게
닿을 수 있기를 바랄 뿐이야.
우리가 함께한 순간들이 아직도 내 마음 속에 살아있어.
네가 웃을 때 나는 세상에서 가장 행복한 사람 이였고
네가 아프면 나도 함께 아팠어.
그렇지만 우리가 함께했을 시간들이 어두웠다 해도
나에게는 너무 소중하고 밝은 시간 이였고 이제는 그
추억들이 내 마지막 위로가 되어줄 거야.

너에게 미안한 마음이 있어 내가 너에게 더 많은 사랑을
주지 못한 것 같아.
중간에 포기하자고 했던 것도 미안해 그땐 너를 살리려면
내가 죽어야 한다는 게 무서웠고 또 항상 밝고 긍정적인
너한테 나는 부정적인 영향을 끼칠 거라 생각해서
그랬어...
내가 얼마나 불완전한 사람인지를 늘 알았지만 그럼에도
너와 함께한 시간들이 나를 세상에서 가장 완전하게
만들어 줬어.
로사 네가 죽지 않은 건 신이 도운 게 아니었어.
단지 네가 그 괴로움을 이겨 냈던 거지 그리고
마지막으로 나는 네가 행복하길 바래.
그 어두움 속에서라도 내게 주었던 사랑을 너 자신에게도
돌려줄 수 있기를. 내가 떠난 후에도 너는 여전히 내
마음속에 살아 있을 거야 괴로움 속에서도 잘 참고
이겨내 주어서 너무 고마워.
이 편지를 보고 있다는 건 넌 탈출에 성공했다는
증거겠지? 다행이다...

널 구할 수 있어서 정말 다행이다. 너랑 나랑 둘 다 목표를 이뤄서 너는 그 어두운 세상에서 나가는 거 나는... 널 구해주는 거였어. 행복하게 살아줘 내 죽음이 헛되지 않도록. 그리고 행복을 가득 담아 나에게로 와주렴.
사랑을 담아,
카밀라

나의 주머니 속에 있던 편지였다 나는 그 자리에서 또 한번 눈물을 펑펑 흘리며 오열 할 수 밖에 없었다 .
카밀라 아줌마는 자신이 죽을 걸 알고 있었던 것 같다 아마 그때 그 유령이 카밀라 아줌마에게 선택을 하라고 했겠지… 나인지 아님 카밀라인지…
나를 구해주려고 목숨까지 바친 카밀라..
나를 이렇게 까지 생각하고 사랑해준 사람은 카밀라 가 처음 이였다.
어쩌면 내가 그곳에서 본 빛도 카밀라 의 사랑 덕분에 빛났던 것일까..

나를 구해준 건 카밀라 의 선택 이였다는 걸 알고 나서는 카밀라 아줌마에게 미안하고 고마운 마음뿐 이였다.
나는 잘 살고 싶다 행복하게 살고 싶다
모든 게.. 카밀라 아줌마의 용기 덕분 이였을까..

* * *

-뚜벅 뚜벅

소심한 발걸음... 내가 그 세상에 빠졌을 때 이 세상은 2 년이란 시간이 지나있었다
지금 나는 중학생...
내가 졸업한 초등학교를 돌아보고 있다. 나의 시간을 한번 더 추억하기 위해서…
학교에는 아무도 없었다. 방학 이였고 저녁 4 시…아무도 없는 게 당연했다. 학교는 많이 바뀌어 있었다.
“내가 없는 동안.. 다들 학교생활 잘했네..”

6-3 반

나의 반이였다. 문득 교실이 궁금해진 나는 교실로 향했다.

컴컴한 교실 안을 들여다 보았다.

아무도 없을 줄 알았던 교실 안에는 어떤 여자애가 앉아 있는 모습이 보였다.

그 여자애와 나는 눈이 마주쳤다.

"로사야!"

급하게 일어나 의자가 -쾅 하며 넘어졌다. 그 여자 아이는 놀라며 나에게로 뛰어왔다.

그 여자애는 나를 끌어안았다. 그러고는 펑펑 울기 시작했다.

"어.. 저기.. 왜 그래"

"미안해.. 정말 미안해.. 네가 이렇게 힘든 줄 몰랐어.."

"저 근데.. 누구.."

"아.. 나 기억 안나..? 나 예진이야 신예진"

순간 얼어붙었다. 어릴 때 나를 가장 많이 놀리던 친구였다. 일진으로 불렸던 친구가 이렇게 까지 청순해지니 못 알아볼 정도였다.

"너.. 갑자기 나한테 왜 그러는데?"

"로사야.. 네가 큰 충격으로 쓰러졌다고 했을 때부터 알았어... 내가 정말 큰 실수를 했다는 걸... 정말 미안해... 어릴 땐 몰랐어..."

"너 6학년 때 여기로 전학 왔어? 원래 옆 학교 였잖아"

"어... 전학 왔어"

"내가 쓰러져야만 아는구나... 네가 정말 큰 잘못을 했다는 걸..."

"정말 미안해! 내가 잘못했어! 한번만 용서해줘! 제발.. 나 원래 있던 학교에서 이리로 전학 왔어 근데 지나가다가 네가 이 교실로 들어 오는 거 보고 따라 들어왔어 너한테 잘못했다고 용서를 빌려고

그리고 예전에 내가 너 괴롭힌 거… 미안한데 다른 친구들 한테는 예기 하지 말아줄래?

나 지금 엄청 착하게 살려고 노력하고 있거든?

그리고 일주일 후에 나 오디션 보러 가는데 지금 알려진 거 말고 또 다른 학폭 같은 거 터지면 오디션에서 잘린데 로사야 제발…너 괴롭힌 얘기 친구들 한 테는 얘기 하지 말아주라… 응?”.

“미안한데.. 나는 그때도 너무 큰 충격 이였지만.. 나는 지금 너에 이런 모습에도 더 충격이거든? 우리 이제 중학교도 들어갔고 그러니까 더 이상 볼 일은 없겠네… 그럼 난 갈게 안녕”

“로사야! 로사야~! 아 어떻게…망했어 진짜…”

나는 예진이의 말을 무시하고 학교를 나왔다. 뒤에서는 예진이의 울음소리가 들려왔다.

예전 같으면 생각 할 수도 없는 용기.

나의 이런 용기는 카밀라 아줌마 의 위로와 사랑 때문이다.

전하는 마음

-띠리리리링

조용한 집안에 엄마의 오래된 전화기가 울리기 시작했다.
"여보세요? 네네 맞는데요. 방송이요? 아니 뭔 어린 애한테 그런걸 시킵니까? 그리고 애 지금 잊고 잘 버티면서 생활하고 있는데..."
처음에는 전화를 받는 엄마의 반응에 또 쓸 때 없는 전화나 왔나 보다. 라고 만 생각했다.
그런데 다음날...

-띠리리리링

“여보세요? 또 그쪽이세요? 권유하는 이유가 대체
뭔데요? 네네... 하... 네.”
어제 전화 왔던 사람인가보다. 대체 뭐지?

-똑똑

“로사야~”
노크 소리가 들리며 스르르 방문이 열렸다.
“공부 하고 있었어? 기특하네~ 과일 먹으면서 해
음료수도 뭐 갔다 줄까?”
내가 그 우울증에서 빠져 나온 후. 엄마의 행동은 많이
달라졌다. 엄마는 아빠와 이혼 한 뒤부터 나한테 못되게
굴기 시작했다. 정확이 왼지는 모르지만 아빠의 폭력적인
행동에 충격을 먹어 그런 것이라고 생각하며 지금은
엄마를 이해하려고 노력 중이다.
“아. 어제 먹다 남은 거 그거.”
“아 알겠어~”
엄마가 나가려던 찰나 아까 엄마한테 전화가 왔던 내용이
문득 궁금해졌다.

“아 엄마.”

“응?”

“그.. 어제랑 아까 전화 왔던 사람 누구야?”

“어?”

말을 꺼내자마자 엄마는 엄청 당황해 했다. 대체 어디에서 전화가 왔길래...

“아.. 아니야 뭐 그냥 쓸 때 없는 데서 왔더라고~”

엄마의 말과 표정을 딱 들으니 정말 거짓말을 하고 있다는 걸 확실이 알 수 있었다.

“진짜야?”

“응.”

“..... 거짓말.”

“어?”

“내 얘기했잖아 다 들었어.”

“.......”

“뭔데.”

“하.. 그게.. 방송국에서…”

“방송?”

갑자기 왠 방송? 순간 어리둥절 했다. 왜 뜬금 없이 왜 방송 쪽에서 전화가 온 걸까?

"무슨 방송이요?"

"엄마도 잘 모르겠는데.. 로사 네가 우울증이 심했었잖아 어린 나이에.."

"그런데요?"

"그게 사회적으로 논란이 있었나 봐.. 어린 나이에 2년 동안 우울증의 충격으로 의식을 잃었다는 게... 생각보다 너와 같이 우울증에 걸린 친구들이 많다고 하는데… 그래서 방송 쪽에서 너하고 인터뷰를 좀 하고 싶다고 하더라고."

내가 우울증에 걸려서 2년 동안 의식을 읽고 입원했던 게 사회적 논란이라고?

"근데 왜 말 안 했어?"

"그냥 엄마는.. 로사가 그때일 잊어 버리면서 지금 잘 생활 하고 있는데.. 또 그때일 생각하면서 힘들어 할 까봐.."

솔직히 싫어 라고 대답하려고 했다. 하지만 나는 무언 갈 생각하고 대답을 바꾸었다.

"괜찮아."
"어?"
"방송 나가는 거… 괜찮다고. 나도 할말이 있으니까."
"정말이야? 여렸을 때 앞에 나가서 발표 한번 안 해본 애가.."
"나도 이제 중학생이야. 예전이랑 다르다고."

나도 이제 달라진 나를 보여주고 싶었다. 내 인생이 이전의 인생과 완전히 다르다는 걸 모두에게 보여주고 싶었다.
그렇게 시간은 흘러가고 그리고 촬영 당일...

-딩동

"안녕하세요~"
"아 네 안녕하세요."
"로사 지금 집에 있나요?"
"네네 지금 방에 있어요."

-똑똑

의문의 노크소리와 함께 문이 열렸다.
“안녕 로사야~ 방송국에서 왔어. 인터뷰 수락 해 줘서 정말 고마워~”
내 앞에는 어느 젊은 여자가 서있었고 사방에는 카메라를 들고 계신 분들이 넘쳐났다. 순간 갑작스러운 등장에 당황했지만 적응하려고 노력했다.
“아.. 네 안녕 하세요… 오늘 오신다고 하셨죠?”
“아~ 맞아 맞아. 너한테 몇 가지 물어보고 싶은 것들이 있는데. 한번 물어봐도 되니?”
“아. 네 물어보세요..”
방송국 관계자와 나는 미리 준비 해 놓은 자리에 앉았다.
카메라가 세팅되고 감독님이 큐 사인을 주셨다.
그리고 인터뷰가 시작 되었다.

이런 관심은 처음이다... 왜 떨리지? 안 떨릴 거라고 생각 했는데 생각 보다 많은 카메라와 조명 그리고 시선들이 부담 스럽게 느껴졌다. 하지만 나는 애써 태연한척

미소를 지어 보이며 기자들의 질문에 하나하나 대답 해
나갔다. 그렇게 본격적인 촬영이 시작되었다.

“로사는 어린 나이에 심한 우울증에 걸렸었지?
병원에 입원해 있을 때 그때 너는 무슨 생각을 했었는지
기억나니...?”
첫 질문부터 왜 이럴까.... 내가 쓰러져있는 동안 그
비참하고 어두운 곳에서 동물들에게 쫓기고.. 뭐
그랬다고 하면 믿어줄까? 다 이상한 사람으로 취급할 것
같았다.
그래서 최대한 자연스럽게 대답하려고 노력했다.
“어두운 세상에... 갇혀 있었어요... 앞이 제대로 보이지도
않는 그런 캄캄한 곳에서 말이에요.”
“그렇구나... 그럼 거기에서 무슨 생각을 했니?”
질문이 쭉 이어지면서 카메라 들은 전부 나를 응시하고
있었다. 좀 신경 쓰였지만 최대한 질문에 집중하려
노력했다.
“누군가.. 저를 구해줬으면 하는 생각이요. 이 우울
감에서 빨리 빠져나가고 싶었으니까요.”

"그래 그러면 쓰러져 있었던 상태에서도 괴로움을 느꼈던 거야?"
"괴로웠죠.. 그곳에서 빛이 보이기 전까지요."
"빛? 무슨 빛?"
"그거는... 저만의 비밀일걸요..?"
"아.. 그래 알겠어 그럼 다음 질문으로 넘어갈게."
감독님이 인터뷰를 하고 있는 기자 언니에게 살짝 웃어 보이며 고개를 끄덕였다. 아마 떨지 않고 인터뷰에 적극적으로 응하는 내 모습이 만족 스러웠나 보다.
기자는 다시 내 쪽으로 시선을 돌리고 웃으며 말을 이어 갔다.
"그럼 로사는 왜 그렇게 심한 우울증에 걸린 거라고 생각해?"
"......"
한참을 생각해야 했다. 질 우울증에 걸린 이유를 설명하는 과정은 정말 복잡했다 나는 최대한 간단하게 그냥 머릿속에서 생각나는 것들을 말해야 했다.
"어렸을 때부터.. 저 자신을 싫어했던 걸로 기억해요.. 친구들과 어울리지 못했고... 그게 심해져서 학교폭력까지 당했죠... 부모님은 이혼하고... 공부도 제대로 하지 못하고.. 그러니까 간단하게 설명하면.. 저를 싫어했었 던 것 같아요."

"그렇구나. 많이 힘들었겠어~"

"지금 많은 청소년들이 로사와 같이 우울증으로 많이 힘들어 하고 있는데. 혹시 하고 싶은 말 있니?"

나는 예전부터 생각 했던 이야기를 꺼내 놓기 시작했다

"만약.. 제가 세상에 우울증에 대해 알리게 된다면.. 하고 싶은 말이 있었어요. 오늘 방송으로 알릴 수 있어서 기뻐요."

나는 잠시 생각하다 다시 말을 이어갔다

"학교에서 학교 폭력 문제를 조금만 더… 더 심각하게 봐주시면 좋겠습니다. 그래서 학생들이 많이 힘들어 하고 있고 좋지 않은 선택을 하는 학생들이 있다는 걸 알아 주셨으면 좋겠어요. 심각한 우울증에 걸린 사람은 저뿐이 아닙니다. 많은 친구들이 우울증에 걸리고 있어요. 그 사람들을 외면하지 말아 주셨으면 좋겠어요. 그 친구들이 하는 말에 귀를 기울여 주세요. 그리고 먼저 다다가

주셨으면 좋겠어요. 우울증에 걸린 사람들은 어떻게 해야
먼저 다가가는지 알지 못해.요 저 또한 그랬구요.
그들은 먼저 다가가는 걸 못 하는 것 뿐이지 다가오는 게
싫은 게 아니에요.
 조금만 관심을 가지고 손을 잡아 주신다면. 그들도
마음의 문을 조금씩 열어 줄 꺼 에요. 그리고 이해해
주세요. 그들이 외치는 내면의 소리를 들어주세요.
그리고 자기를 사랑하는 법을 알려주세요. 내가 먼저
나를 사랑해야만 세상 사람들이 나를 사랑 할 수 있다고
알려주세요. 그리고 꼭 안아 주세요. 제가 저를 먼저
안아 주었던 것 처럼 …가기 자신을 안아주지 못하는
사람들에게 먼저 다가가 따뜻하게 안아 주세요."
말을 하는 도중에 계속 눈물이 쏫아 졌다. 그냥 모든걸
바꾸고 싶다는 생각이 들뿐이었다. 그렇게 방송은
순조롭게 마무리 되었다.

방송이 끝나고... 마무리 정리를 하는 중 이였다.
"중학교 2 학년 이라고 했지?"
한 카메라 감독님이 나에게 다가와 말을 걸었다.

"아..네 맞아요."

"많이 힘들었겠네. 아저씨 들으면서 감탄했잖아."

"왜요?"

"그냥 어린 나이에 그렇게 힘든 일을 겪었는데도 스스로 잘 이겨낸 것도 그렇고 이렇게 자신 있게 말해준 것도 전부다."

"아... 좋게 봐 주셔서 감사합니다."

"아저씨 아들도 너랑 동갑인데 요즘 많이 힘들어 하는 것 같아. 어떻게 위로를 해줘야 될지를 모르겠네.."

아저씨는 표정이 점점 시무룩 해졌다. 나는 아저씨께 한 말을 해드리고 싶었다.

"아저씨도 대단 하세요."

"응? 뭐가?"

"보통 부모들은…… 아이들에 대해서 정확히 알지 못하거든요. 다 안다고 해놓고서. 내 아이가 힘든지 뭐 땜에 힘든지 뭐가 불만인지 들어주지 않고 알아주지 않고 대부분 공감해주지 않죠. 근데 아들을 그렇게 걱정해주고 위로할 방법을 생각하고 있다는 거 자체가 그냥 저한텐 멋져 보여요."

“아~ 그러니? 고마워 하하~기분이 좋네.”
“한번에 다가가려고 그러진 마세요 그냥 스르륵?”
“스르륵?”
“네 미끄러지듯이 다가가면 되요 천천히..”
카밀라가 해줬던 것처럼...

* * *

나의 영상은 의외로 많은 조회수를 넘겼다. 어린 중학생이 심한 우울증 극복 이 제목으로 많은 댓글도 달리기 시작했다.

아이고야 어린 것이 참...
이 학생 한마디가 우리 딸 한 테도 큰 위로가 됐다고 하네요~
그니까 학교폭력 문제가 좋아지지가 않는다니까!
나도 죽고 싶었던 적 많이 있는데
ㅠㅠ 슬퍼요

나의 인터뷰가 많은 학생들에게 위로가 되었다고 한다.
막상 사람들에게 용기를 나누어 주었다고 생각하니 마음 한 켠에서 뿌듯함이 올라왔다.
학교폭력과 우울증이 심각한 수준 이라는 걸 세상에 알리고 싶은 마음뿐 이였다.
정말 많이 괴롭다는 걸 알기에... 조금이나마 영상으로 위로해주고 알리고 싶었다.
그 비참한 세상에서 하나뿐인 인생을 우울함과 좌절 속에서 사는 것을 더 이상 보고 싶지 않으니까...

~~충격적인~~ 생일

8월 9일 오후 6시...

딱 그날이다. 내가 어두운 세상에 들어갔던 그날...
지금이 바로 그때다. 떠오르는 그날의 기억... 책상에
앉아 많은 고민을 하고 있었다.
"흠.. 어? 뭐야 이거."
바닥에 떨어져 있는 찢었던 흔적이 있는 종이 한 장...
맞다 2년 전 오늘과 동일한 날짜 동일한 시간에 쓴 글..
종이에 쓰여있는 글을 보고 웃음이 나왔다. 한심한
웃음인지 기쁨의 웃음인지 모를 그런 웃음...

내일은 어떤 생일이 나를 기다리고 있을까 아무래도 좋다.
과거 그날처럼 우울한 생일은 이제 다신 없을 테니까..

* * *

8 월 10 일 오전 7 시 35 분..

웬일로 일찍 눈이 떠졌다. 조용한 집안... 엄마는 아직 자고 있는 듯 했다. 나는 조심이 일어나 책상 위에 앉았다. 서랍 속에서 그날 어두운 기억을 잔뜩 쏟아 냈던 똑같은 메모지를 꺼냈다. 그리고 작은 연필을 들고 글을 썼다.

8 월 10 일 나의 생일,
오늘은 나의 생일이다. 예전 같았으면 빨리 지나가길 바랬을 텐데 이전 별로 그런 생각은 들지 않는다.

오늘이 나한텐 다른 의미로 특별하게 느껴진다. 내가 나를
위해 살아갈 수 있다는 사실이 이젠 그냥 소중하게 느껴지는
하루하루를 살아 간다.
내가 살아가는 이유는 많다 하지만 그 중에 하나... 다들
알겠지?
맞다. 카밀라의 죽음이 헛되지 않기 위해서다. 그리고 내가
원하는 삶을 선택하고 그 선택에 책임을 지며 오늘도 내일도
더 나은 사람으로 나아가기 위해서다.
이제는 오늘이 어떻든 아무 상관 없다. 아무도 내 생일을
챙겨주지 않아도 나는 우울하지 않다.
난 기쁘다 어두운 세상에서 빠져 나온 후 첫 생일…
예전과는 다른 생일 이니까
왠지 모르게 나의 첫 번째 생일처럼 느껴지기도 한다. 오늘은
나 스스로를 축하 해 주려고 한다 나를 사랑하는 사람은 결국
나니까...

나는 거실로 향했다. 그때 바로 엄마가 안방에서 나왔다.
“로사 깼어? 일찍 일어났네~”
“네 웬일로 일찍 떠졌어요”
“오 그래? 오늘 로사 생일 이여서 그런가?”

조금 놀랐다. 엄마가 내 생일에 반응을 해준 건 오늘이 거의 처음이었다.
“내 생일인 거 알았어?”
“엄마가 로사 생일을 모를 리가 있나.. 과거엔 엄마도 힘들어서 그냥 넘어갔지만 이젠 그러지 않을 꺼야~ 엄마가 어제 케이크 사놨는데 생일 파티 해야지 엄마랑 둘이 하자~?”
“아..”
뭔가 낯설었다. 생일 케이크까지 준비했다고..? 엄마가 바뀌긴 많이 바뀌었나 보다.
내가 쓰러져 있을 때 엄마는 밤을 세면서 나를 돌보았다고 들었다.
그것도 거의 매일.. 처음에는 엄마의 모습에 놀랐지만 점점 익숙해져 갔다.
“짠 우리 딸 좋아하는 초콜릿 케이크로 엄마가 사왔지~”
“참나. 나 초콜릿 좋아하는지는 어떻게 알고..”
“우리 딸 어렸을 때 간식은 초콜릿 밖에 안 먹었잖아~ 그거보고 우리 딸은 초콜릿 좋아 하구나 하고 알았지.”
“그랬나..”

갑작스러운 엄마의 관심에 또 한번 놀랐다. 난 엄마가 나에 대해서 아예 모를 거라 생각했는데 그 정도는 아니었다.

"자 그럼 노래 부르자~ 시작!"

엄마는 노래를 불러 주었다. 이상하다 기분이... 이런 건 처음이다.

"후~"

나는 초를 불어 작은 불을 껐다. 들리는 박수 소리. 나한테 해주는 박수소리... 뭐라고 해야 할까... 그냥... 좋았다. 아니 행복했다. 조금이 아니라 많이 나아진 생일 같아서.

"딸.. 엄마가 선물을 준비 못했지만 편지 썼어 생일 선물은 나중에.."

"아니야. 필요 없어."

"그래? 그래도 엄마가 많이 챙겨주지도 못했는데.."

"괜찮아. 선물 안 받아도 기뻐."

나는 한 손에 편지를 들고 바로 방 안으로 들어왔다. 나는 편지를 가만히 바라보다가 편지 내용이 궁금해 종이를 펼쳤다.

딸~ 생일 축하해~ 우리 딸... 나에게 하나뿐인 소중한 딸...
엄마가 하고 싶은 얘기가 많다..
그냥 이 말을 하고 싶었어..
우리 딸... 정말 미안해.. 엄마 아빠랑 많이 싸우고 어릴 때
아빠가 엄마 때리는 거 보고 많이 무서웠지? 미안해.. 어린
나이에 외롭게 해서 정말 미안해.. 아빠랑 이혼하고 엄마 많이
힘들었어.. 밤마다 울었어.. 아빠와의 이혼이 너무 충격
이였던 나머지 엄마가 잠시 정신이 이상했었나 봐.. 우리
딸한테까지 화를 넘겨 버렸네...
정말 미안해.. 잘 챙겨주지 못해서..이해 해주지 못해서
미안해 신경 써주지 못해서 미안해... 사랑을 많이 주지
못해서 미안해.. 기다려 주지 못해서 미안해... 그런데
그렇다고 엄마가 우리 로사를 사랑하지 않는 건 아니야 엄마는
항상 우리 딸이 든든하고 바르게 커주길 기대해 엄마가
너무너무 사랑하고 미안해 그리고 생일 너무너무 축하해~
사랑하는 딸 로사에게 엄마가.

나는 오랫동안 엄마에게 회의감을 느끼며 살았다. 아무도
내 마음을…심지어 엄마조차 나의 마음을 알아주지
않아서 말이다.

편지를 읽고 기분이 이상했다... 왜지? 갑자기 눈물이 흘렀다.

나도 왠지 모르게 엄마를 이해하지 못한 미안함이 들었다.

아빠와 이혼하고 엄마도 많이 힘들었구나... 그 힘듦을 견디지 못해 나에게 나쁘게 굴었던 것 이었다는 걸 왜 이제 알았을까. 엄마 덕분에 조금이 많이 나아진… 아니 완전히 바뀐 생일을 경험 할 수 있어서 한번 더 기쁨과 감동을 느꼈다. 아 그리고 또 하나 느낀 게 있다.
나는 '혼자' 가 아니었다는 것이다.

새로운 시작

새벽 4 시. 나는 그때서야 잠에 들었다. 이유는 모르겠다.
눈을 감을 때 들리는 익숙한 목소리…

"드디어 성공 했구나."

목소리에 나는 두 눈을 떴다. 온통 하얀 세상…
나의 앞에는 익숙한 곳과 익숙한 젊은 사람이 서있었다.
보자마자 알았다. 그때 그곳...
"그때 그 사람 이죠? 보자마자 알았어요."
"그래 맞아. 이렇게 될 거라는걸 예상했니?"
"예상 했겠어요?"
여자는 나를 보고 가만히 웃었다.

"널 오랫동안 널 지켜봐 왔다고 했잖아. 그만큼 난

카밀라도 너처럼 오랫동안 지켜봐 왔어.. 난 너희 둘을

도와주고 싶었어.둘 다 목표를 이루어서 다행이네.

너에게 미래를 보여주고. 네가 선택하길 바랬어. 어떤걸

선택하건 네 자유지만. 좋은 쪽으로 선택 해 줘서 기뻐.

"설마 그 꿈이.."

"그래 너 가 생각했던 꿈이 맞아. 이제 알아챈 거니?"

전혀 알지 못했으니까.. 나에게 카밀라가 죽을 거라는걸

알려준 것이라니.. 몰랐다. 바보같이 그 꿈을 이해 할 수

없었어서…

"그럴 수 있지.. 너 나이 때 이런 꿈은 처음이지? 아직

어려서 예측하기 어려웠을 거야."

"고맙습니다."

"고맙긴.. 네가 선택하고 네가 행동했기 때문에 이런

좋은 결과가 나온 거야. 난 그저 너에게 기회를 줬을

뿐이고 모든 결정과 행동은 네가 한 거야 너는 알지

못하겠지만. 유령과의 대화가 있은 후 좌절하고 있는

카밀라 에게 내가 한가지 제안을 했었지 그걸 받아들이는

건 카밀라의 몫이었고… 카밀라도 그걸 해 내서 기뻐."

"무슨 제안이요?"

"그건 카밀라와 나와의 비밀. 아무튼 너희는 너의 서로가 서로를 더 나은 사람으로 바꿔 준거란다."

여자의 감동적인 말에 눈물이 흘렀다.

"부탁이 있어요"

"무슨 부탁?"

나의 부탁이 대단한게 아니다. 그냥…

"정말?"

"네. 저처럼. 힘든 친구들이 많아요. 그들에게 가주세요. 스스로 살아갈 힘을 얻었잖아요."

"... 그래 알겠다. 그러나 그들도 스스로 선택을 해야 할 날이 올 거야. 나는 단지 기회를 줄 뿐이지..

아무튼 만나서 반가웠어 로사~! 아주 오랜 시간이 지난 후에 다시 만나자."

여자는 나를 보고 환하게 웃었다.

정신이 몽롱해 지며 스르르 눈이 감겼다.

–짹짹짹

들려오는 새 소리... 환한 아침 이였다.
“어~ 로사야 일어났니? 웬일로 일찍 일어났데? 씻고 아침 먹어”
“네~”
이제는 나 혼자서 나아가 보려 한다. 모든 일이든 나 스스로 의 인생을 나 스스로 이끌어가는 그런 사람이 되려고 한다.
다른 사람들의 말은 신경 쓰지 않겠다.
“너도 너 이상한 거 알지?”
“너 진짜 그렇게 살지마.”
“나는 너를 이해 할 수가 없어 진짜...”
이제 그딴 말 신경 쓰지 않을 거다.
그리고 더 이상 남의 도움만 기다리면서 숨어있진 않을 거다 그렇게만 나의 인생도 달라지지 않을 테니까.

__처럼 살고 싶다

나무처럼 살고 싶다. 뿌리를 깊이 내리고 어떤 비 바람이 불어도 흔들리지 않으며 시간이 지나면서도 여전히 사람들에게 산소처럼 소중한 것을 줄 수 있는 존재가 되고 싶어.

강물처럼 살고 싶다. 아무리 험한 돌을 만나도 길을 만들며 나가고 물살에 휘청 일 때도 결국 바다로 흘러가는 큰 흐림을 믿으며 끊임없이 나아가는 사람이 되고 싶어.

하늘처럼 살고 싶다. 어떤 구름이 지나가도 그저 가볍게 흘려 보내고 비바람 속에서도 그저 고요히 기다리며 언제나 밝고 맑은 웃음을 잃지 않는 사람이 되고 싶어.

구름처럼 살고 싶다. 어디로든 자유롭게 떠다니며 때로는 햇살을 가리고 때로는 비를 내려 세상에 변화를 주듯 내 마음도 흐르고 싶어.

바람처럼 살고 싶다. 언제나 자유롭게 날아가며 어떤 장애물도 겁내지 않고 계속 나아가며 살고 싶어

별처럼 살고 싶다. 아무리 어두운 밤하늘에 내가 숨어져 있어도 내 빛은 결코 꺼지지 않아서 언젠가는 누구든 그 빛을 보고 길을 찾을 수 있게 해주고 싶어.

불꽃처럼 살고 싶다. 작은 불씨로 시작해 큰 불길로 번져가듯 나도 내가 가진 열정을 세상에 퍼트리며 나 자신을 더 나 자신답게 만드는 그런 삶을 살아가고 싶어.

파도처럼 살고 싶다. 아무리 바다가 널고 끝이 보이지 않아도 언제든지 밀려가고 그 파도가 바다를 바꾸듯 내 삶도 세상에 변화를 일으킬 수 있게 살아가고 싶어.

카밀라 처럼 살고 싶다….
고요히 다가오는 아침같이… 따뜻하게 다가오며 행복을 나눠주고 그리고 또 위로 해 주고 남을 위해 나 자신을 희생하고 용기를 주는 그런 따뜻한 사람이 되고 싶어.

친구들에게,

안녕 친구들아 로사야~ 요즘 힘든 일은 없어? 행복하게 잘 살아가고 있어? 난 네가 힘든 일을 잘 극복 할 수 있다고 믿어.

요즘의 나는 나 스스로를 이해하려고 노력하고 있어.

내가 이 글을 쓰는 이유는 나같이 힘들게 하루하루를 살아 본적이 있거나. 지금 하루하루를 밤속에서 보내고 있는 친구들에게 카밀라 처럼 위로와 용기를 주기 위해서야. 나는 어렸을 때부터 나에게는 잘하는 것이나 재능이 없다고 생각했어.

일이 잘못되면 모든지 내 잘못 인 것 같고. 나 자신만을 탓 했어.

그런 생각은 시간이 지날수록 더 깊어졌고 심지어 안 좋은 생각까지 하기 시작했어. 그렇게 하루하루를 끝없는

밤에서 보내던 나의 삶에 카밀라 라는 빛이 나타나주었고
나의 삶에도 점점 빛이 들어오는 걸 느끼기 시작했어
그렇게 나의 인생은 달라졌단다.
애들아. 세상은 우릴 시험해. 한번쯤은 죄책감과,
괴로움이 있는 재앙에 빠트려.
우린 그걸 이겨낼 수 있다고 생각해. 주변에 나를
도와주는 사람이 없더라도 나 자신 스스로가 내 인생에
빛을 심어줄 수 있어 난 그게 가능하다고 믿어.
네가 정말 행복하고 더 나은 삶을 살고 싶다면 그렇게
하길 바래. 힘들 때 일수록 작은 한걸음이 큰 변화를
만들 수 있어. 지금의 어려움도 언젠가는 지나가게 될
거고. 그럼 그땐 더 강하고 성숙해진 너 자신을 만나게
될 거야.
처음이자 마지막인 인생을 행복하게 살길 바랄게.
삶을 행복하게 살아가며 나중에 그 행복을 다른 이
에게도 나누어줄 수 있는 그런 어른이 되기를…
친구들에게 로사가.

세상에게,

세상아, 어쩌면 아름다울 수도.. 어쩌면 너무나 미울 수도 있는 세상아.

어떻게 시작해야 할지 모르겠다.. 많은 생각이 머릿속에 떠오르지만 각자 제자리를 찾을 수가 없어서 문장을 쓰는 게 쉽지 않다.

나는 이제 그곳을 떠났지만 아직도 그곳에서 있었던 일이 어제 일처럼 생생하게 생각난다.

세상아.. 왜 카밀라 아줌마를 대려 갔니... 카밀라의 선택이었다고 해도 왜 하필 카밀라 죽을 운명이었니..

카밀라는 그 곳에서 잘 지내니?

세상아. 너를 이해하고 싶었어…

그곳에서 겪었던 일들이 너무 힘들고 괴로웠지만

때로는 내가 정말 무엇을 원했는지 내가 진정으로 원하는 삶이 무엇인지 정확히 알게 해 준 것 같아. 그 고통 속에서 잃어버린 나를 찾을 수 있음에 감사해..

고마워.. 우리 둘을 만나게 해줘서.. 나를 그 곳에 보낸 이유가 카밀라를 만나게 해 주기 위해서였니?

인생아.. 아니 나의 세상아~ 나를 부른 이유도 그거였니? 카밀라 아줌마를 만나게 해주려고? 그냥 다 고맙다..

옛날엔 너를 미워했지만 지금은 너를 이해하려고 노력 중.. 아니 이젠 너를 완전히 이해한 것 같아.

세상아. 이세상 사람들이 힘듦과 고난을 잘 이겨낼 수 있도록 도와줘 나처럼.. 이제 나에게서 떠나 나처럼 많이 괴로워하고 있는 사람 곁에 가줘.

그리고 세상 사람들을 더 많이 지켜주고 행복한 인생을 만들어 주길 진심으로 바란다.

고맙고 미안한 마음으로

세상에게.. 로사가.

성공한 나에게,

이제야 너에게 이런 편지를 쓸 수 있게 되었다는게
믿기지 않아.
지난 몇 년 동안 네가 어떤 마음으로 지내왔는지 잘 안다.
그때 너는 지쳐 있었고 세상 모든 게 무너져 내릴 것처럼
느껴졌을 거야. 내가 얼마나 두려웠고, 그 두려움을
마주할 용기가 없었는지..
하지만 지금 여기서 이렇게 나에게 편지를 쓰는 지금
과거의 모든 고통을 슬기롭게 이겨낸 사람이라는 것을
기억해..
그 모든 날들.. 그 모든 힘든 순간들이 결국 오늘의 나를
만들어 냈다는 사실을 깨달았어.

아무리 힘들어도 계속 살아 있었고 결국은 내가 다시
일어날 수 있었다는 걸 믿게 되었지.
내가 회복의 길을 걸어가던 중 카밀라가 내게 준 사랑과
희생은 잊을 수 없을 거야. 그녀의 죽음으로 나는 새로운
삶을 얻었어 하지만 카밀라 또한 나 덕분에 새로운 삶을
얻었다고 생각하고 있는 것 같아.
이젠 카밀라의 죽음이 나를 더욱 강하게 만들어 줬고
포기하지 않는 신념을 만들어 줬어.
오늘 내가 이렇게 여기까지 올 수 있었던 건 로사 네가
포기하지 않았기 때문이야.
그때 나를 지탱해준 건 결국 나 자신이었다는 걸…
이제는 명확히 알 수 있어. 그 고통 속에서도 내 안에
살아있는 힘을 찾을 수 있었고 희망을 붙잡을 수 있었던
거야.
과거의 나를 되돌아보면 후회되는 점도 있지만. 사실
많이 자랑스러워 내가 정말로 원하는 두려워하지 않는 삶
스스로의 힘으로 나아가는 삶을 살고 있으니까.
그리고 난 지금 계속해서 그 길을 걸어가고 있어.
나는 이제 내가 더욱 성장 할 거라고 확신해.

넌 혼자가 아니야. 그때도 그랬듯이.

과거의 네가 있었기에 오늘의 내가 있고 오늘의 내가

내일의 나를 만들어 갈 거야.

사랑하는 나에게, 나는 너를 진심으로 자랑스러워해.

언제나 너의 편

로사..

마지막으로 전하는 말

다들 살아가면서 어떤 생각이 들어요? 감사한 생각? 아님
슬픈 생각? 대부분 모든 것을 생각 하죠.
살아가면서 많은 어려움이 있다고 생각해요.
요즘 세상은 어떤가요? 많은 사람들이 교통사고 살인
같은 이유로 죽어요 하지만 여기서 제일 심각한 건 바로
나 스스로 죽음을 선택하는 것 이라고 생각해요.
끔직한 일이죠 어린 초등학생들 까지도 그런 선택을
한다는 게...
혹시 요즘에 많이 힘드세요? 내 인생을 이제 끝내고
싶다는 분들 많이 있어요. 그 마음 이해해요. 근데 그거
아세요?
나중엔 그 힘듦과 어두움이 밝은 빛이 된다는 거.

그 어려움을 잘 이겨내 보세요. 나중엔 그 어려움을
이겨내고 작은 빛이 아니라 아주 아주 큰 밝은 빛이
빛나는 인생을 찾을지도 몰라요.
제가 그곳에서 빠져나올 수 있었던 것은. 카밀라
덕분이에요 하지만 저의 용기도 큰 몫을 했어요
제가 카밀라를 설득하지 않고 용기를 내지 않고
포기했다면 전 이미 그곳에 갇혀 있을지도 몰라요.
그러니까 큰 용기가 아니어도 괜찮으니까 작은 용기라도
내보세요
나중에는 그 작은 용기가 큰 행복이 될지도 모르니까요.

사랑하는 카밀라씨 에게

카밀라씨 시간은 또한 빠르게 지나갔습니다. 벌써
6 년이라는 세월이 흘렀고 저는 스물한 살 벌써 대학생
새내기가 되었어요. 사랑하는 카밀라씨 당신을 처음
만났을 때 나는 내 안에 갇혀 있었고. 그 어떤 것도 나를
구해 줄 수 없다고 생각 했어요.
세상이 나를 버린 것처럼 느껴졌고. 저는 그저 숨만 쉬며
하루하루를 버티고 있었어요.
하지만 카밀라씨 당신이 내 곁에 와주었고 내 손을 잡아
줬을 때 그 순간부터 내 삶은 조금씩 변하기 시작했죠.
당신의 따뜻한 말… 당신이 나에게 보여준 사랑… 그리고
당신의 단단한 믿음이 저를 일으켜 세웠어요.

당신이 없었다면 저는 아직도 그 어둡고 비참한 세상에
있거나.. 죽었을 지도 몰라요.
당신은 내가 바라지도 못할 많은 것들을 가르쳐 주었어요.
어떻게 사랑을 받고 어떻게 자신을 받아 들일 수 있는지..
그리고 저의 삶에 가치를 알게 해 주었어요.
스물 한 살이 된 지금 저는 제 인생을 다시 시작할 수
있다는 걸 알아요.
과거의 나를 내 어두운 부분을 받아들이고. 더 나은 저로
나아갈 힘을 얻었어요.
이 모든 것이 카밀라 당신 덕 분이에요. 당신은 저에게
단순한 사람이 아니라 저의 구원자였고 저의 인생의
진정한 기적 이였어요.
카밀라씨.. 저는 더 이상 그늘 속에서 살지 않아요.
당신 덕분에 저는 저의 목소리를 찾았고 나만의 길을
걸어 갈 수 있었어요 그리고 그 길 위에 당신과 함께
걸어갈 수 있다는 것.
그것이 카밀라씨가 저에게 준 가장 큰 선물입니다.

그 어떤 말로도 당신에게 고마움을 다 전할 수는 없을 겁니다. 그냥 당신이 나의 곁에 이어줘서, 내 삶에 빛이 되어주어서 진심으로 감사하다는 마음밖에 없어요.
저는 이제 행복해요. 당신이 내 삶에 와준 것만으로 세상에서 가장 행복한 사람이었어요.
앞으로도 저 자신을 사랑하며 멋진 꿈을 펼치면서 살아갈 것입니다. 당신의 죽음이 헛되지 않게 해줄게요...
어쩌면 그곳에 머물렀던 시간이 나에게는 좋은 기회 아니었을까요? 전 그곳에서 많이 괴롭지 않았어요.
당신을 만난 덕에요.
당신이 내 덕분에 행복했다니 정말 다행이에요.
카밀라씨 천사가 말해 준 대로 당신은 천국에 있나요?
우리 꼭 다시 만나길 바랍니다. 천국의 빛 속에서.
사랑하는 마음으로
로사 블랑카.

바뀐 과거의 나

-D-DAY

드디어 이 오래된 집에서 떠난다. 대학 생활을 하면서 많이 바빠져 이사 한번을 못 가 봤다. 엄마가 돌아가신 지 3년이 지났다 혼자가 되었지만 외롭거나 쓸쓸하지 않다. 지금 나는 엄마와 쌓은 추억을 생각하며 짐을 옮긴다.

새로운 집으로 가는 동안 따뜻한 빛이 쏟아졌다. 달리는 차창 문 밖을 바라보며 고속도로를 지났다.

-쿵

“자 됐습니다~”
“아우 감사합니다. 수고하셨어요. 이거라도 드시면서 가세요.”
“아유 뭘 이런걸 감사합니다~”
“안녕히 가세요~”
“네~”
초록잔디... 마당이 있는 작은 주택...
햇살이 마당으로 쏟아졌다.
문을 열고 환한 마당에 한발을 내디디며 하늘을 보았다.
밝은 햇살에 눈이 부셔 하늘을 보기는 쉽지 않았다.
시선을 아래로 향했다.
어린아이의 모습… 아직은 덜 성숙한 그때의 내가 보였다
따뜻한 햇빛 속에서 아직 어린 너는 환하게 웃으며 두 팔을 펼쳐 자유롭게 뛰놀고 있었다.
나는 깨달았다. 지금의 내가 과거의 너를 바꿔줬다는 것을 말이다.
너의 등장에 난 놀라지 않고 바라보았다.

너와 나는 눈이 마주쳤다.

너는 나를 보며 환하게 웃었다.

나도 너를 보며 환하게 웃었다.

따뜻한 햇빛은 우리를 감쌌다.

<작가의 말>

이 이야기를 쓰면서 내가 겪어본 아픔과 어둠 속에서
어떻게 조금씩 빛을 찾아가려 했는지를 떠올렸다.
또한 이 소설은 그런 나의 경험에서 시작했다.
우울증은 그 자체로 너무 고통스럽고, 때로는 벗어날 수
없을 것 같은 절망감을 안겨주지만 나는 이 책을 통해
누구든 그 어두움 속에서도 끝내 한 줄기 빛을 발견 할
수 있다는 메시지를 전하고 싶었다.
글을 쓰면서 과거의 나 자신의 생각이 많이 들었다는
이야기를 하고 싶다. 내가 했던 행동과 나의 감정이
생각나 글을 쓰면서 눈물을 감출 수 없었다.
나는 이 이야기가 그저 우울증을 다루는 것에 그치지
않고 우리가 겪는 고난을 어떻게든 함께 나누고 이해할
수 있다는 책 이기를 바란다. 글을 쓰면서 내가 느낀 그
고통과 고립 감을 다른 이들에게 어떻게 전달해야 할지
몰라 여러 번 포기 할 뻔 했다. 하지만 결국 이 이야기를
쓴 이유는 한 가지였다. 나와 같은 사람들에게

조금이라도 위로가 되기를 바랄 뿐 이였다. 이 소설이 단 한 사람이라도.. 또한 누군가 에겐 공감이 되고 또 다른 누군가 에게는 희망이 될 수 있다면 나는 그걸로 충분하다.

나는 카밀라의 한마디 한마디가 많은 사람들에게 위로가 되었으면 좋겠고 로사의 변화로 많은 위로와 깊은 생각을 할 수 있게 해드렸으면 좋겠다. 그리고 또한 "친구들에게" 와 "세상에게" "성공한 나에게" 글은 정말 친구들과 세상 그리고 나 자신에게 쓴 글이다.

이 글을 읽고 그들이 함께 공감할 수 있었으면 좋겠다.

그것이 정말 내가 하고 싶은 말이니까.

그리고 나를 믿어준 사랑하는 가족들과 6학년 때 절망에 빠져있던 나에게 희망을 심어준 소중한 친구들에게도 감사의 인사를 전하고 싶다. 그리고 무엇보다도 어린 중학생의 부족하고 짧은 소설을 끝까지 읽어주신 당신에게 큰 감사의 인사를 전한다.

당신의 삶을 응원하며,

임아린